Guerres

Charlotte Gingras
Guerres

la courte échelle

Le décompte

Casque de combat en kevlar, lunettes de protection balistique, veste pare-éclats avec plaques anti-balistiques, fusil d'assaut C7A2 : mon papa est patrouilleur dans l'armée de terre et il s'en va à la guerre, là-bas, dans vingt et un jours. Des fois, je ne peux pas m'empêcher de me coller à ses jambes, même si je suis sur le bord d'être trop grand pour ça. Je m'appelle Luka avec un *k*, j'ai neuf ans et, sur la liste des personnes que j'aime, papa est placé tout en haut. Sur la ligne suivante, bébé Mathilde. Et puis, un vide. Après, les amis de l'école. Et plus loin, maman. En bas de la liste, en petits caractères, ma grande sœur Laurence.

Toi qui étais prof d'éducation physique à la polyvalente, que toutes mes copines de troisième secondaire trouvent aussi beau qu'un athlète olympique, que jamais je n'aurais échangé pour un autre père, tu as décidé de reprendre du service dans les Forces armées. De partir en mission en Afghanistan pour six mois. De laisser ta famille. De me laisser, moi, ta fille Laurence.

Je ne sais pas pourquoi tu as pris cette décision. C'est vrai qu'entre toi et Karine, notre mère, ça ne va pas très fort, et je vois bien qu'elle est en désaccord avec toi. La plupart de mes copines, leurs parents sont divorcés, et elles trouvent que les familles reconstituées, c'est pas génial. Moi, je trouve que la vie avec Karine n'a jamais été vraiment géniale, si tu veux savoir. Et depuis la naissance de Mathilde, c'est pire.

Tu es revenu de l'entraînement la semaine dernière pour passer tes vacances avec nous avant ton départ. Je te trouve bizarre, je trouve Karine plus bizarre que d'habitude, et Luka me tombe sur les nerfs avec sa manie de te suivre partout, te posant sans relâche ses questions déconcertantes, comme si tu allais lui donner les bonnes réponses et qu'il redeviendrait comme avant, un petit garçon insouciant, gâté pourri et exaspérant. Seule Mathilde babille et gigote de plaisir dans nos bras, trop petite pour se rendre compte de ce qui se passe. Elle n'a que dix mois.

Tu te retires souvent en toi-même, comme absent. Et tout d'un coup, sans prévenir, tu me serres dans tes bras et chuchotes des mots de tendresse, «ma princesse, mon cœur». Tu ébouriffes les cheveux de ton fils, lui murmures des paroles un peu bébêtes,

«mon champion, mon grand petit garçon». Avec
Mathilde, c'est encore pire, tu atteins des sommets,
«ma merveille, mon lapin doré, mon trésor à moi».
Mathilde en profite pour roucouler dadada, sa manière
à elle de t'appeler papa, et pour te donner des baisers
pleins de bave. Tu adores ça. Mais ça ne t'empêchera
pas de partir.

Aujourd'hui, sans prévenir ni rien, papa nous
a emmenés, ma grande sœur et moi, dans une
boutique d'informatique. «On s'achète des ordi-
nateurs portables, un pour moi, un pour toi, Luka,
et un pour toi, Laurence.» Il a ajouté que de cette
manière, pas de chicanes, on pourra *chatter* avec
les amis, faire des recherches sur Internet, écrire
nos travaux scolaires et, bien sûr, lui envoyer des
courriels. Lui aussi, des fois des courriels à tous,
des fois des courriels privés.

Il a fallu lui faire un tas de promesses : ne pas
regarder des sites pornos (quelle idée! jamais je ne
ferais ça!), ne surtout pas *chatter* avec des inconnus,
et ne pas en profiter pour passer nos soirées au
grand complet à jouer à des jeux en ligne avec les
copains. «Cette promesse ne vaut que pour Luka»,
a lancé Laurence qui trouve toujours le moyen de
me taper sur la tête. Quand même, elle et moi on

était fous de joie. Le vieil ordinateur du salon, on l'a porté à la récupération. De toute façon, maman possède déjà son portable pour le travail.

Le temps s'allonge. Les vacances partent en lambeaux et on ne va nulle part. Mes copines sont parties en voyage avec leurs parents, vers les lacs et la forêt boréale, ou vers le fleuve et même la mer, pendant qu'ici, dans notre grand appartement de la rue de la Tourelle, on vit dans une bulle inconfortable. Luka, au moins, va au camp de jour. Moi, je reste à la maison. Je voyage sur Internet, ou je m'installe sur le grand balcon arrière face à la Basse-Ville et aux montagnes qui flottent dans la brume de chaleur, à lire des romans policiers, des romans d'amour, des romans tout court. L'école me manque.

Des fois, je promène Mathilde. Je l'emmène jusqu'aux Plaines, c'est pas trop loin de chez nous, mais il faut monter des côtes à pic et, avec la poussette, je ressemble à un mineur qui pousse son wagon de charbon jusqu'à la sortie de la mine. En plus, la canicule nous est tombée dessus et on étouffe. Plus le temps s'étire, plus j'ai hâte que tu partes. Pas parce que je t'aime pas. Mais parce que tu sembles déjà si loin et qu'ici, on est comme paralysés, en attente que ça finisse.

Presque chaque matin, après son jogging, mon papa répare des choses qui ne fonctionnent pas à son goût dans la maison. Avec un marteau, des pinces, il tripote n'importe quoi qui lui tombe sous la main. Il a changé les piles du détecteur de fumée, il a nettoyé le filtre du lave-vaisselle, il a même repeint ma chambre en jaune. C'est moi qui ai choisi la couleur. «Jaune pipi», a dit Laurence. Quand il ne sait plus quoi rafistoler, il demande à maman:

— Est-ce qu'il y a autre chose?

— Acheter des pneus d'hiver pour la four-gonnette, changer le radiateur dans la cuisine, poser un coupe-froid autour de la porte d'en avant.

— Karine, je vais revenir en permission avant l'hiver!

— On ne sait jamais, Nathan. Peut-être que oui. Peut-être que non.

Et moi, quand je ne suis pas au camp de jour, j'ai toujours des nouvelles questions pour papa: «C'est quoi la vitesse maximale d'un blindé léger? Ça te prend combien de minutes pour démonter et remonter ton fusil d'assaut?»

Ce matin, alors qu'il revissait la prise électrique du comptoir de la cuisine et que Laurence vidait le lave-vaisselle, je me suis planté derrière lui et j'ai chuchoté:

— C'est quoi être brave, papa ?

Il a déposé le tournevis sur le comptoir. Laurence, qui a tout entendu, n'a plus bougé, les oreilles grandes ouvertes. Il s'est retourné vers moi :

— C'est d'avoir peur et de faire la *job* quand même.

Dimanche après-midi, moi, Luka et Mathilde dans sa poussette, on est montés sur la Grande Allée voir la parade de ton régiment. Karine ne voulait pas venir. « Une migraine », elle a dit. Migraine mon œil ! Nous, on ne voulait pas rater ça : tu y étais.

On a attendu longtemps. Il y avait foule le long des trottoirs et au loin, comme un murmure, on entendait la fanfare qui venait vers nous. D'ici quelques jours, quelques semaines tout au plus, les militaires de la base partiront en mission là-bas. La foule était venue les applaudir et saluer leur vaillance. Autour de nous, j'entendais les gens échanger des paroles émues : « Ils s'en vont défendre nos valeurs. Protéger un peuple en détresse, l'aider à s'aider lui-même. Ils honorent notre pays. »

La fanfare a entamé l'hymne national. Les soldats s'approchaient au rythme des trompettes, des cymbales et du battement des tambours qui pulsait jusque dans notre ventre comme un énorme cœur. On a réussi à se faufiler au premier rang. Ils arrivaient, les deux mille cinq cents soldats et soldates, tous vêtus de leur tenue de combat, tous marchant du même pas sous le soleil dur. Leurs bottes martelaient l'asphalte et leur regard portait loin.

J'ai vu des femmes soulever à bout de bras de jeunes enfants. J'ai pris Mathilde et j'ai fait pareil.

Luka, soudain, s'est mis à crier par-dessus le vacarme :

– Voilà papa ! Mathilde, regarde, c'est papa !

Tu es passé avec les autres, proche à nous frôler, sans un regard pour nous, pour Mathilde qui secouait la main, t'envoyait des baisers. Tu tenais les yeux rivés vers je ne sais quoi. La gloire ? L'honneur ? Le devoir ? C'était très étrange tout ça, irréel. Est-ce qu'elle existe seulement, cette guerre, à l'autre bout du monde ?

Et puis... la fanfare s'est tue. Les militaires continuaient de défiler. J'étais prête à partir, mais Luka voulait absolument voir tous les soldats. Alors on est restés plus longtemps. Et bientôt, plus loin derrière, en sourdine, on a entendu d'autres tambours. Un autre genre de fanfare, moins disciplinée. Un léger mouvement contraire prenait forme derrière nous, le battement de ces nouveaux tambours enflait. Des manifestants pour la paix se faufilaient à travers la foule, leurs voix scandaient :

– Supporter la mission ? Non ! Non ! Non !

– Du respect pour nos soldats ! grondaient les parents et les amis des militaires, ils s'en vont risquer leur vie !

— Assassins ! Assassins ! Assassins !

Toutes ces voix discordantes résonnaient autour de nous. J'ai vu quelques poings brandis. Des drapeaux et des pancartes flottaient au-dessus des têtes, leurs slogans zébraient l'espace, DÉSERTEZ ! GUERRE À LA GUERRE ! Il y a eu une bousculade un peu plus loin. Luka, les pommettes rouges, les yeux mouillés, a bredouillé quelque chose que je n'ai pas entendu. J'étais occupée à protéger Mathilde avec mes bras. « Viens, dépêche-toi Luka. On s'en va. »

Les soldats poursuivaient leur chemin sans broncher, sans répondre aux insultes. La tête haute, ils marchaient vers leur destin, droit devant.

Dans l'appartement, maman se tait de plus en plus, et quand le silence devient aussi lourd qu'un nuage gris de novembre, papa sort sa vieille moto du garage et va voir ses amis à la base militaire. J'aimerais qu'il m'emmène avec lui, mais il ne le fait jamais. Il dit que les soldats qui s'en vont en mission ont besoin de se parler entre eux, de partager des secrets. Ils vont tous partir d'ici l'automne, un contingent à la fois.

Tantôt, avant d'enfourcher sa moto, papa m'a dit que rien n'est plus important que ses frères d'armes quand on est en mission dans une zone à risques. Soudés ensemble.

– Pourquoi tu les appelles tes frères s'ils ne sont pas tes vrais frères ? je lui ai demandé.

– Parce que nous sommes une famille sur le terrain, là-bas, et personne ne laisse tomber personne. On est responsables les uns des autres. On appelle ça l'esprit de corps.

Pendant une demi-seconde, j'ai imaginé Laurence en sœur d'armes, et puis j'ai grimacé. Franchement, ça ne me tenterait pas trop. C'est elle qui donnerait les ordres. Et puis, on n'habite pas une zone à risques ici, à la maison.

Cet après-midi, on s'est tassés dans la fourgonnette toute la famille et on a roulé jusqu'à la base militaire voir Kevin, Valérie et leurs deux petits garçons. Lui, ton frère d'armes du temps de la Bosnie, juste avant ma naissance, elle, la seule amie de maman. Je me demandais ce que j'allais faire là. D'ailleurs, dès notre arrivée, Kevin et toi avez pris chacun une cannette de bière dans le frigo et vous êtes allés vous installer sur le patio, les fesses calées dans un fauteuil de plastique.

Vous avez entrechoqué vos cannettes, pris une grande rasade. Les enfants ont entraîné Luka sur la pelouse, et on s'est retrouvées dans la cuisine, entre filles. Sur le comptoir trônait un énorme bocal de verre rempli de jujubes de toutes les couleurs.

— C'est beau, j'ai dit. Il y en a un peu beaucoup, non ?

— C'est un sablier, a répondu Valérie. Il contient trois cent soixante bonbons. À partir de dimanche prochain, les garçons vont en piger chacun un après le souper. Quand il n'y en aura plus, leur père reviendra.

— Si je te suis bien, 360 jujubes $\div$ 2 enfants = 180 jujubes $\div$ 30 jours = 6 mois ?

Valérie a hoché la tête en souriant. Puis elle s'est tournée vers Karine.

— Et toi, mon amie, ça va ?

J'ai compris. J'ai pris Mathilde, ramassé la poussette et hop, on s'en va faire un tour. J'aurais dû rester à la maison avec ma petite sœur, je serais allée me promener avec elle sur les Plaines. Quel été pourri. Mais ce n'est pas ce que tu veux, papa. Tu nous veux proches, tout le temps. Même si tu nous parles de moins en moins, même si tu t'éloignes de nous un peu plus chaque jour.

Les grandes voulaient se faire des confidences, je suppose. Ou se rappeler le temps où elles s'étaient connues, sur une base militaire, dans l'Ouest, où tout le monde parlait anglais. Elles avaient vingt ans, elles étaient amoureuses et se sentaient si seules, leurs Casques bleus de maris partis en Bosnie, en Somalie ou ailleurs.

Je poussais Mathilde dans les rues droites et mornes de la base militaire, bordées de maisons toutes pareilles, jumelées deux par deux, et de quelques commerces. J'ai reconnu le Centre de la famille. On a déjà habité ici lorsque j'étais petite. Quand tu as quitté le service actif, que tu es devenu réserviste, on est partis vivre en ville. Karine détestait cet endroit, comme elle a détesté toutes les bases militaires où elle a vécu. «Je me suis trimballée d'un ghetto à l'autre pendant des années, dit-elle les jours de mauvaise humeur. Des endroits tricotés serrés, tricotés fermés où, si tu ne penses pas la même chose que tes voisins, on te crache dessus.»

En revenant, je suis passée près de toi et Kevin, toujours assis à la même place, des cadavres de cannettes de bière à vos pieds. Vous parliez de la parade des soldats.

— Rien que des couilles molles, ces pacifistes qui nous traitaient d'assassins, grognait Kevin.

— Et nous, on fait le sale travail pendant qu'ils dessinent leurs pancartes, as-tu ajouté en broyant ta dernière cannette vide. Qui va y aller si on reste tous à la maison?

Papa a décidé de m'offrir un chien. C'est bizarre, ça. Quand j'étais petit, un pitbull m'a couru après juste devant la maison et m'a mordu à la cuisse. L'a-t-il oublié? J'ai encore des frissons rien qu'à penser à ses crocs, à son odeur, au sang sur mes shorts. Mon papa s'était précipité dans la rue, avait donné un coup de pied au chien, m'avait pris dans ses bras, emmené à l'hôpital et tenu la main pendant qu'on me faisait douze points de suture. Maintenant, il veut à tout prix que j'aie un chien à moi.

On est donc allés ensemble chez un éleveur. Là-bas, on a fait le tour des cages et je ne disais rien. Je ne voulais pas lui faire de la peine parce qu'il s'en va dans une semaine et, en même temps, je ne veux pas de chien. Finalement il m'a entraîné devant une cage où une grande femelle, couchée sur le côté, allaitait ses chiots. J'ai pointé du doigt une boule de poils beige et blanche, le plus petit de la portée de six. Je n'ai pas demandé à le prendre dans mes bras. Même bébé, ça vous mordille la main, ces bêtes-là, ça s'exerce pour plus tard. J'ai juste marmonné : « Celui-là, papa, c'est correct. »

Le chiot était encore trop jeune pour revenir à la maison avec nous. « Tu pourras venir le chercher dans six semaines, m'a expliqué l'éleveur. Il sera sevré et il aura alors tellement d'énergie qu'il pourra passer ses journées entières à courir après un *frisbee*, un bâton, n'importe quoi. Tu es très chanceux. Le berger allemand est le plus fidèle des chiens, le plus attaché à son maître, et le plus protecteur. »

De retour à la maison, papa m'a dit que je devrai prendre soin de mon chien pendant son absence, me conduire comme un chef de meute et que si je le voulais, je pourrais suivre des leçons de dressage avec lui.

J'ai longtemps été ta petite princesse, papa. Tu m'emmenais partout avec toi. Tu m'installais sur le siège d'enfant, à l'arrière de ton vélo, et nous roulions à travers les rues de la base militaire. Ça te faisait rire parce que je parlais sans arrêt dans ton dos. Dès que j'ai su quelques mots, je nommais tout ce qu'on rencontrait sur notre route, chat, camion, soldat, arbre, ciel, nuage, oiseau. Chaque soir, tu me racontais des histoires pour m'endormir. Celle de Chien Bleu, tu me l'as racontée mille fois. Je me souviens de cette photo où j'ai le visage et ma robe d'été barbouillés de crème glacée au chocolat. Toi, à droite sur la photo, tu es mort de rire. Maman n'y est pas. Elle était plus distante avec moi, comme si elle était mécontente, ou chagrinée, et qu'elle se tenait en retrait. Cela était sans importance parce que toi, tu étais mon père et ma mère à la fois.

Mais parfois, tu partais en mission. On ne te voyait plus pendant des mois, maman pleurait en cachette, ou alors elle gardait le silence pendant des jours. Toutes les deux, on attendait que tu reviennes.

Et puis Luka est né, tu as quitté les Forces armées et nous sommes venus vivre en ville. Le roi Luka. J'avais six ans et ma carrière de princesse prenait fin. À la place, je suis devenue première de classe. Je te ramenais mes notes comme des trophées. La petite princesse déchue voulait que tu l'aimes encore.

La dernière nuit, avant que tu partes, je me suis réveillée d'un coup, j'avais soif.

En entrant dans la cuisine, je t'ai trouvé assis à la table, des paperasses étalées autour de toi. Je t'ai demandé ce que tu fabriquais là, tout seul, à trois heures du matin.

— Mon testament, ma grande.

J'ai frissonné, comme si un froid arctique s'était engouffré dans l'appartement. Tu t'en es aperçu.

— C'est pas parce qu'on fait son testament qu'on va mourir, Laurence. C'est juste une précaution. Tous les militaires mettent de l'ordre dans leurs papiers avant de partir en mission, les assurances, les comptes, le testament. Tu veux un jus de fruits ?

Tu as sorti du frigo le carton de jus d'orange et tu m'as servi un grand verre.

— Laurence, je voudrais te demander... Essaie d'être plus tolérante envers ton frère. Tu es l'aînée et...

— Il agit comme un bébé. Il ne saura pas prendre soin de son chien. Je te jure que c'est moi qui devrai m'en occuper !

J'ai ajouté que c'était une idée débile. Tu n'as rien répondu, et on n'a plus parlé. C'est vrai que tu n'as jamais été bavard. Toi, ton truc, c'est courir le marathon, rouler en moto, sauter en parapente. Et te taire.

Tu sais ce qu'il aurait vraiment aimé, ton fils ? Que tu ne partes pas en mission dans ce pays de sable, de cailloux, de montagnes abruptes et de cavernes où se cachent les insurgés.

Cette nuit, j'ai rêvé que le chiot avait grandi, qu'il se transformait en chien-loup, avec des crocs comme des poignards, et qu'il me sautait à la gorge. Personne n'était là pour me protéger.

Finalement le jour zéro est arrivé, ton tour est venu de partir avec ton contingent. Cet après-midi, Luka, Mathilde, maman et moi, on est tous allés te reconduire à la base militaire. C'est de là, en autobus, que partaient les soldats et les soldates en direction de l'aéroport. Nous, les familles, on n'avait pas le droit de vous accompagner à l'aéroport. C'est pour éviter des séparations déchirantes, paraît-il. Moi, je pense plutôt que l'armée adore les règlements, regorge de secrets militaires, d'embargos et de sujets sensibles. D'ailleurs, on ne saura jamais exactement où tu seras déployé là-bas.

Dans la salle du bataillon, qui ressemble à un grand hangar avec une large porte au fond, les familles s'étaient regroupées autour de leurs soldats.

Toi et tes frères d'armes, vous portiez votre uniforme couleur sable et vos bottes de combat flambant neuves. Votre équipement vous attendait à l'aéroport. Tu es grand, papa, mais ce matin, tu paraissais plus grand encore. Il y a eu des discours ennuyeux, on est restés debout trop longtemps, les tout-petits couraient entre les jambes des parents, les épouses avaient de sales têtes toutes chiffonnées, et dans les yeux de ceux qui partaient, ça brillait.

Luka la sangsue ne pouvait s'empêcher de se coller contre toi. Moi, je tenais Mathilde dans mes bras parce que Karine poussait ses deux mains au fond de ses poches comme si elle voulait les défoncer. Elle pourrait se forcer un peu que je me disais, elle ne le reverra pas de sitôt.

Il y a eu des jus de fruits pour les enfants, des biscuits et du café. J'ai aperçu plus loin ton ami Kevin, Valérie et leurs deux petits garçons, ceux qui vont développer de méchantes caries dentaires dans les prochains mois. Puis il est resté un temps très court, une espèce de parenthèse en forme de bulle, où les familles se sont agglutinées comme des grappes. La majorité des femmes pleuraient. Les tout-petits, qui ne comprenaient rien à ce qui se passait, jacassaient et riaient.

Ceux qui allaient partir ont pris leurs plus jeunes dans leurs bras. Toi, tu tenais Mathilde et la regardais comme si tu voulais te rappeler chaque détail de son visage, chaque fossette de ses mains, et son poids de bébé, et son odeur de talc et ses trois dents toutes neuves. Mathilde, elle, tentait de s'emparer de ton béret. Tu l'as donnée à sa maman, tu as fourragé une dernière fois dans les cheveux de Luka, l'as pressé contre toi. Moi aussi j'ai été prise dans l'étau de tes bras. Enfin, tu as embrassé ton épouse qui se tenait raide, en armure on aurait dit, les lèvres si pincées qu'elles ne formaient plus qu'une ligne rouge. Tout ce temps, j'avais la curieuse impression d'être dans un film. Que c'était pas vrai.

Il y a eu l'appel, les bulles parenthèses ont crevé d'un coup, vite, les derniers baisers. Autour de nous j'entendais des mots chuchotés : «Prends soin de toi», «N'oublie pas...», «Je prie pour toi...», «Reviens vite.»

Vous êtes partis à la queue leu leu vers la grande porte du fond rejoindre votre autobus.

Tu avais presque disparu quand soudain tu es revenu à grandes enjambées vers moi et Luka, tu nous as pris chacun une épaule durement, comme si tes mains étaient devenues des serres d'oiseau de proie. «Prenez soin de votre petite sœur.» Tu as couru reprendre ta place.

Quand papa a disparu, j'ai essayé très fort de partir avec lui dans ma tête. De disparaître avec lui. Mais je n'ai pas réussi. Je suis resté de ce côté-ci du monde, les bras tout mous, le cœur serré comme si j'allais avoir du mal à respirer pendant les six prochains mois. On aurait dit qu'il n'y avait plus personne, que le soleil était parti avec lui, que les gens, les murs autour de moi devenaient gris et aplatis.

J'ai baissé la tête et j'ai vu que le bout de mes souliers de course était tout aussi gris. Et le sol aussi. Les voix de maman et de Laurence résonnaient et bourdonnaient, je ne comprenais rien à ce qu'elles disaient. Puis, peu à peu, les couleurs sont revenues, et les mots, et j'ai vu Mathilde, dans les bras de maman, qui me tendait sa petite main. Alors j'ai suivi ce qui restait de notre famille et nous avons marché vers le stationnement.

Sur le chemin du retour, personne n'a ouvert la bouche. Je me sentais soulagée. Ça y est, il est parti, c'est réglé, on retourne à notre vie. J'ai tellement hâte que les copines reviennent, que l'école recommence!

En entrant dans l'appartement, Mathilde s'est mise à gigoter. «Dadada?» a-t-elle demandé, inquiète. Encore une fois, maman me l'a tendue, elle est partie s'enfermer dans sa chambre. J'ai fait chauffer le lait, je me suis dirigée avec le bébé vers ma propre chambre. Installée dans mon grand lit, avec des oreillers et des coussins, je lui ai donné à boire. Je fais ça très bien, aussi bien que toi, papa. Elle buvait en tenant fort le biberon, chaude comme un chaton.

Luka est venu me rejoindre. Il semblait chamboulé. Il a dit : « Je peux ? »

Je lui ai laissé ma place et j'ai installé Mathilde au creux de ses bras. Il a pris le biberon, lui a effleuré les lèvres avec la tétine. Elle l'a saisi et s'est remise à boire en le fixant de ses grands yeux pervenche.

— T'en va pas, a marmonné mon frère.

— Je m'en vais nulle part, j'ai répondu.

C'est plus tard, en soirée, pendant que tous les autres dormaient, que j'ai senti un petit nœud se lover au creux de ma poitrine. Un minuscule serpent se faisait un nid et il avait l'intention d'y rester pour un bon moment.

Dans l'avion qui vole au-dessus de la mer, rempli de soldats silencieux, la plupart endormis, Nathan veille. Il regarde par le hublot, son regard se perd dans la nuit obscure. Lentement, des images apparaissent, se succèdent sur l'écran noir.

Une horde de personnes à pied, marchant vers une frontière, n'importe laquelle, des femmes, des vieillards et des enfants. Les hommes, eux, ont déjà été abattus et jetés dans une fosse commune.

Un village désert. Des maisons vides. Dans l'une d'elles, les cadavres d'une famille entière. Les femmes n'ont pas seulement été tuées, elles ont aussi été violées.

Nathan regarde défiler ses images. Elles sont tatouées dans sa mémoire.

Il tient dans ses mains, comme des cartes à jouer, trois photos. Il les lisse du doigt. Son trésor. Son champion fragile. Sa grande fille, si forte.

Planète Solitude

On a commencé à recevoir tes courriels, papa. Excuse-moi, mais… ils sont nuls, tes courriels. Il paraît que tu passes tes journées à flâner sur le *boardwalk* de la base militaire de Kandahar que tu appelles KAF, et tes soirées à regarder des DVD en buvant de la bière sans alcool. Tu dors au milieu d'une grande tente-dortoir, ton espace de quatre mètres par deux mètres séparé des autres par une bâche de plastique. À t'entendre, tu habites dans un camp de vacances ! Tu dois piaffer d'impatience, n'est-ce pas, à jogger autour du campement, à faire cent *push-ups* par jour. Les sports extrêmes, tu aimes.

Remarque, mes courriels sont aussi nuls que les tiens. Je te raconte que j'ai enfin retrouvé les copines du cours de français, et que ces temps-ci, en classe, on révise des règles de grammaire insensées. Et qu'aujourd'hui, après l'école, on s'est réunies chez Odile, la plus fofolle de la classe, pour étudier ensemble. Quand on en a eu fini avec la grammaire, on a placoté de tout et de rien, des beaux gars de cinquième secondaire, du rouge à lèvres fuchsia de la prof de géographie...

Je ne t'écris pas que ça commence à m'ennuyer de leur expliquer pour la centième fois l'accord du participe passé conjugué avec l'auxiliaire avoir ou être, que je trouve les blagues d'Odile moins drôles qu'avant et que si les autres filles bavardent, moi, je me contente de sourire vaguement. J'avais si hâte de les retrouver, et voilà qu'à l'heure du lunch, je préfère me réfugier seule à la bibliothèque. Je me sens loin d'elles depuis la rentrée, comme si j'habitais depuis ton départ une planète éloignée dont je suis l'unique survivante. La planète Solitude.

Aucune fille dans ma classe n'a un père en mission dans un pays en guerre, tu vois. Toutes, elles ont un père ou un beau-père qui revient le soir pour souper, un père avec qui elles se chicanent, ou qu'elles persuadent à coups de câlins et de mots doux de leur accorder une permission ou de leur refiler un peu plus d'argent de poche. C'est vrai que certaines filles de ma classe n'ont pas de père du tout. En tout cas, aucune d'elles ne craint de regarder les informations de 18 heures.

Je gage que Luka t'a écrit que lui et son ami Simon ont recommencé leur rituel favori, revenir de l'école ensemble en prenant mille détours. Tu te souviens, ils ont commencé ce petit jeu en première année, à l'époque où ils portaient ces ridicules bonnets de lutin, avec des pompons. Il ne te parle pas de ses mauvais rêves. À moi non plus, il n'en parle pas. Mais je l'ai entendu gémir, une nuit où j'avais les yeux grands ouverts dans le noir. Non, je ne suis pas allée le voir dans sa chambre.

Sur Google, quand je tape «forces armées canada afghanistan», je trouve des drôles de choses, par exemple la liste de tous les soldats tués depuis le début de la guerre, avec de la musique triste et des photos. La liste s'allonge chaque mois. J'ai peur un jour de trouver la photo de papa. J'aime mieux les vidéos des patrouilleurs, mais j'ai peur des balles perdues et des tireurs d'élite. Je les regarde quand même parce que j'espère voir papa. On ne sait jamais, peut-être qu'on l'a filmé avec ses hommes et qu'ici, dans ma chambre, un soir, il apparaîtra sur l'écran, grand, fort, avec casque et tout, et qu'il me fera un petit sourire en coin juste pour moi.

Tantôt, à l'heure du souper, Karine s'est extirpée de sa chambre, elle a sorti une pizza du congélateur et l'a mise au four. Comme les autres soirs depuis ton départ, elle a ouvert la télé pour les informations.

On s'est installés sur le divan, tous, nos pointes de pizza à la main, Mathilde sur les genoux de Karine. Entre un accident de la route et les prévisions météo, on a vu encore des soldats entrer dans l'avion qui les transporte à KAF. Un journaliste expliquait que tous les soldats de la base militaire sont partis maintenant. C'était le dernier contingent. La mission s'annonce plus dangereuse que jamais, et les affrontements avec les insurgés se multiplient. Un ministre a déclaré : « La guerre, c'est la paix. »

– Imbécile, a marmonné Karine en s'éloignant vers le coin cuisine, Mathilde installée sur sa hanche.

Elle était calme et presque souriante quand elle s'est tournée vers nous.

– Voulez-vous du dessert, les enfants ?

– Après le film, a répondu Luka. Tu viens l'écouter avec nous, maman ?

– J'arrive.

Pour une fois, nous avons regardé tous ensemble un film idiot rempli d'extraterrestres et d'effets spéciaux. Luka souriait. Mathilde s'est endormie. Mon serpent aussi.

Moi et Simon, on traversait la cour de l'école. On rentrait à la maison. Juste avant d'arriver dans la rue, on a vu un garçon qui frappait la clôture de broche avec son sac à dos. Il le tenait par les bretelles et frappait de toutes ses forces, encore et encore, glang, glang, glang.

Je l'ai reconnu. C'est Dany, le méchant de l'école. Il a déjà été suspendu pendant une semaine pour avoir battu à coups de poing et à coups de pied un plus jeune que lui. Simon s'est mis à courir pour s'éloigner du monstre. Moi, je ne sais pas pourquoi, je me suis approché de lui et, entre deux glang, j'ai lancé :

– Pourquoi tu fais ça ?

Il a tourné vers moi ses yeux de pitbull :

– Disparais de ma face !

J'ai reculé. Simon était déjà loin. J'ai couru le rejoindre.

Hier matin, on a eu cette conversation avec toi sur l'ordinateur de Karine avec sa *webcam*. On s'était tous réunis, tassés les uns contre les autres, pour que tu puisses nous voir. Je ne reconnaissais pas ta voix et je distinguais mal ta tête embrouillée sur l'écran. Tu ressemblais à n'importe quel fantôme, papa, et nous aussi je suppose, vus de ton côté. Tu serais un astronaute dans sa navette spatiale, l'image aurait été plus nette. À un moment donné, tu as souri, un peu au ralenti, et je t'ai reconnu. Tu nous as prévenus qu'on n'aurait pas de tes nouvelles pendant plusieurs jours, tu quittais KAF, et les connexions Internet ne seraient plus accessibles. Évidemment tu ne nous as pas dit où tu allais, on ne le saura jamais, mais je devine que tu pars sur une de ces routes minées qui font peur à tous les soldats.

À la fin, Luka a murmuré: «N'oublie pas ton gilet pare-balles, ni ton casque, papa. N'oublie pas de rester vivant.»

Tout à l'heure, juste avant de partir pour l'école, je me suis planté devant Mathilde avec l'appareil photo. Mathilde chignait, une nouvelle dent cherche à sortir, c'est sûr, et moi je faisais plein de grimaces pour la faire rire. Au milieu de ses larmes, pendant une seconde, elle m'a souri. Je voyais toutes ses dents neuves, et ses yeux brillants de larmes lançaient des paillettes. Clic! J'ai envoyé tout de suite la photo à l'adresse courriel de papa.

On continue. On t'envoie nos courriels pleins de trous. On fait semblant que c'est comme avant. Mais mon jeune serpent, lové quelque part à la hauteur du plexus, me rappelle que ce n'est pas vrai. J'ai décidé de t'appeler par ton prénom, maintenant. Papa, ça fait trop proche. Papa, c'est quelqu'un que tu n'es plus. Nathan, c'est mieux.

Ton fils adoré m'énerve. Il s'est mis en tête de prendre une photo de Mathilde tous les jours, juste son visage cadré serré, et de te l'envoyer pour que tu la voies changer. Le reste du temps, il habite avec son ordinateur. Karine, elle, a recommencé à travailler, son congé de maternité est terminé. Mathilde va maintenant à la garderie et, trois jours par semaine, c'est moi qui vais la chercher après l'école. J'aime m'occuper de ma petite sœur. Elle est si belle, toute ronde et chaude. Quand j'aurai terminé mes études et que j'aurai un amoureux, je fabriquerai des tas de bébés. Je te ferai grand-père.

En tout cas, ce matin, je marchais vers l'école quand j'ai reçu une petite tape sur l'épaule. Pas méchante, pas agressive, un petit coup de patte à la manière d'un chiot qui veut qu'on s'occupe de lui. D'ailleurs il avait des yeux de chien, bruns et mouillés. Il s'appelle Jamie, il est en cinquième secondaire, et tu étais son prof d'éducation physique l'an passé. Il voulait savoir si tu allais bien. J'ai dit que oui. Il a ajouté : «C'était un bon prof, ton père.»

Il y a une drôle de chose qui se passe avec le temps depuis le départ de papa. Le temps ne bouge presque plus. Et nous, au milieu du temps, on est comme au ralenti, sauf Mathilde qui vient de fêter son premier anniversaire, qui grandit et fait pousser ses dents. Elle va à la garderie où elle joue avec d'autres petits à mettre un rectangle de bois dans une forme de rectangle, à faire des casse-tête pour bébés, genre une girafe, un koala.

J'ai demandé à Laurence de me mesurer, le dos appuyé sur la grande règle près de la porte d'entrée, et qu'elle fasse un petit trait au crayon si ma tête arrivait plus haut que la dernière marque. Elle a dit, l'air bête, que non, je n'avais pas grandi. Peut-être que je grandirai seulement quand papa reviendra? Peut-être que je ne grandirai plus jamais. Ça se peut.

De son côté, Laurence, elle, n'a rien de mieux à faire que de se moquer de moi ou de me chicaner. J'aime mieux quand elle s'enferme dans sa chambre, avec son écriteau NE PAS DÉRANGER sur sa porte.

Maman est la personne la plus immobile de la maison.

Luka nous a convaincues, Karine et moi, de préparer notre premier colis, comme le font toutes les autres familles de militaires. Avec mon argent de poche, je suis allée acheter un t-shirt blanc sur lequel j'ai écrit, à l'encre indélébile, « Mathilde Luka Laurence ». J'ai saupoudré du talc pour bébé dans le fond de la boîte.

Mon petit frère a déposé une photo de Mathilde où elle fait un sourire plein de trous, et sa dent d'ours porte-bonheur. J'ai ajouté plusieurs tablettes de ton chocolat noir préféré, une revue de chasse et pêche, un pot de cornichons à l'aneth, protégé par une enveloppe à bulles, et le t-shirt. Karine a complété le tout avec trois paires de chaussettes et un CD de musique country. Lundi, elle ira porter le colis à la poste. Comme ça, quand tu retourneras à KAF, il t'attendra.

En revenant de l'école, j'ai demandé à Simon s'il voulait faire un tour à mon parc secret. Il m'a répondu que oui, mais pas longtemps. Sa mère ne veut pas qu'il traîne après l'école. On a marché un bout sur la rue Saint-Jean, puis on est descendus par une petite rue en pente. Là, après la dernière maison, on entre dans un parc qui descend encore plus bas, jusqu'au bord de la falaise qui sépare la Haute-Ville de la Basse-Ville. C'est là que j'allais glisser en traîne sauvage avec papa quand j'étais plus petit. On s'installait tout en haut de la colline, près des érables. Je m'assoyais en avant, entre ses jambes, il me tenait par la taille et je n'avais pas peur. En criant comme des fous, on glissait et rebondissait sur la neige, et mon père freinait avec ses pieds juste avant la clôture de sécurité, au bord de la falaise.

L'été, la colline est gazonnée. Maintenant, le sol est jonché de feuilles rouges et craquantes. J'ai dit à Simon :

— Je veux te montrer un nouveau jeu.

— Quel jeu ?

— On se place en haut de la colline et, au signal, on joue à se battre. On essaie de se faire tomber. Le premier qui tombe se laisse rouler jusqu'en bas. Si on roule trop loin, c'est pas grave, la clôture va nous arrêter.

— OK, a répondu mon ami qui veut toujours la même chose que moi. On commence ?

Je mangeais un sandwich avec Odile à la cafétéria à l'heure du midi quand soudain mon serpent s'est réveillé dans ma poitrine.

— On n'a pas de nouvelles de mon père, j'ai dit à mon amie, je ne sais même pas s'il a reçu notre colis. C'est dangereux, là-bas. Et ma mère, elle…

Elle m'a interrompue brusquement. Elle devait aller au gymnase de toute urgence pour une pratique de volley-ball. N'importe quoi. Elle m'a plantée là. J'ai ravalé les larmes qui montaient.

À quatre heures, près des cases, quand Odile s'est approchée avec son sourire mielleux pour que je l'aide avec son devoir de maths, j'ai explosé :

— Es-tu mon amie, ou bien je sers juste à te dépanner parce que tu n'étudies jamais ?

— Toi, tout ce que tu sais faire, c'est travailler comme une folle à obtenir les meilleures notes de la poly. Ça te fait mal de nous aider, nous autres, les moins bonnes que toi ?

J'ai claqué la porte de ma case. Elle aussi.

Simon et moi, on retourne au parc presque chaque jour après l'école. D'abord, on dépose nos sacs près des érables. On se met debout l'un devant l'autre, et on commence. On s'empoigne aux épaules et on joue à se déséquilibrer. On est de force égale, et des fois, on roule tous les deux en même temps jusqu'en bas en rigolant. Aujourd'hui, j'ai fait une feinte et donné une jambette à Simon. Lui, il ne me pousse jamais très fort.

En revenant à la maison, mes habits étaient un peu sales et Laurence, qui était déjà rentrée avec Mathilde, s'est mise à râler. Elle m'a ordonné de me changer et elle a fourré mes vêtements dans la laveuse, réglé le bouton à *extra heavy regular cold*, a jeté la moitié d'une boîte de savon dedans. La mousse va sortir de partout et se répandre à travers la maison. Maman, au moins, elle me laisse tranquille.

Savais-tu qu'ici, dans cette maison, nous vivons séparés la plupart du temps ? Oui, chacun dans sa cellule, sauf Mathilde qui voyage entre sa chambre, la mienne et celle de Karine. Tout à l'heure, j'essayais péniblement de finir mes exercices de grammaire. Où est passée cette fille acharnée dont parlait Odile, perfectionniste et première de classe ? Mystère. En tout cas, je fixais ma feuille d'exercices comme si les questions étaient rédigées en mandarin quand j'ai entendu du bruit chez Luka. Ça fait plusieurs soirs de suite que ça recommence. J'ai décidé d'aller voir.

J'ai frappé à sa porte, pas de réponse. J'ai pris le risque d'ouvrir discrètement.

Il me tournait le dos, happé par son écran d'ordinateur. Il avait mis le son au maximum. Je ne voyais pas ce qu'il regardait, mais j'entendais beugler : GO ! GO ! GO ! TABARNAK ! GO !

Et puis une série de petits bruits secs, en rafale, tacatacatac.

Je suis entrée.

Sur l'écran, des soldats, avec casques, écouteurs et micros, armés de leur fusil d'assaut, sont tapis derrière un muret. Se lèvent, tirent et se cachent. Se relèvent, tirent et se cachent. Ils se ressemblent tous avec leur uniforme et leur équipement.

Leur chef hurle, ils se mettent à courir, penchés vers l'avant, longent le muret de pierre. On entend encore les balles ricocher sur la roche couleur de craie. Dans le coin droit, un arbre rabougri. L'image tremble.

GO! GO! TABARNAK! GO!

J'ai reculé, fermé la porte. Je suis revenue dans ma chambre.

Voilà donc à quoi Luka passe ses soirées, Nathan. À te chercher sur *YouTube*.

« C'est moi qui commence », j'ai dit à Simon et, sans plus attendre, je l'ai poussé tout doux. Il m'a poussé à son tour, et moi, pour rire, je lui ai donné une bourrade. Il a essayé d'empoigner mon chandail, mais il a trébuché, perdu l'équilibre et roulé jusqu'en bas. J'ai dévalé la pente pour le rejoindre, ai trébuché à mon tour, et on s'est retrouvés en bas presque en même temps. Simon, les yeux fermés, faisait le mort. J'étais étendu sur le dos près de lui.

— J'aime ça quand on se bat plus fort, j'ai dit.

— Pas moi. Je ne veux plus venir jouer au parc avec toi, Luka.

Ce matin, très tôt, tu as téléphoné brièvement à partir d'un poste avancé. On t'a parlé chacun notre tour, on n'entendait presque rien avec tous ces chuintements et ces grésillements, mais tu as surtout discuté avec Karine. Elle répondait oui, non, elle t'écoutait. Et puis à la fin, elle a raccroché sans ajouter aucune parole apaisante, prends soin de toi, je pense à toi, je rêve à toi.

Nathan, ton épouse, notre mère, ne va pas très bien. Reviendrais-tu t'en occuper s'il te plaît ? Elle maigrit, elle pâlit, des cernes mauves se creusent à demeure sous ses yeux. Bien sûr, elle remplit le frigo quand il est vide, fait des brassées de lavage, passe l'aspirateur, donne son bain à Mathilde et va travailler. Mais son regard glisse sur nous, indifférent. Ne pense pas que ça va s'arranger tout seul. Je ne sais pas, moi, quoi faire avec une mère comme ça. C'est toujours toi qui t'occupais de nous ici. Et puis tu t'en vas, tu nous plantes là sans nous demander notre avis, à nous, tes enfants.

Sur *YouTube*, je vois un sergent qui ressemble à mon papa avec ses hommes armés. Ils patrouillent dans un village de pierre. Ils passent d'une ruelle à l'autre, ils examinent chaque recoin. Assis devant leur porte, des hommes barbus et de jeunes garçons les regardent comme s'ils étaient des extraterrestres. Les fenêtres sont fermées, et on ne voit pas les femmes et les petites filles.

L'éleveur a laissé un message dans notre boîte vocale pour nous demander d'aller chercher ce chien qu'on avait complètement oublié. C'est samedi aujourd'hui, et Karine nous a conduits au chenil. Le berger allemand ne ressemble plus à cette boule de poils accrochée aux mamelles de sa maman que m'avait décrite Luka avant ton départ. Il est devenu un jeune chien musclé et frétillant.

La bonne nouvelle, c'est que l'éleveur a réussi à passer un collier autour de son cou et y a attaché la laisse. Il l'a présenté à Luka en lui donnant quelques conseils de dressage. Tenir fermement la laisse, habituer le chien à marcher à côté de lui sans jamais le dépasser, corriger les mauvaises habitudes à mesure, le promener deux heures par jour, etc. Le chien a tout de suite adopté Luka, lui léchant la main et le fixant de ses yeux humides, la queue battant comme un métronome affolé. Luka a reculé et m'a tendu la laisse. Mathilde était ravie de faire connaissance avec un toutou vivant.

La mauvaise nouvelle, c'est que le chien s'est mis à pleurer dès qu'on est entrés dans la fourgonnette. Les pleurs se sont vite transformés en jappements, puis en hurlements. Et lorsqu'on est arrivés devant la maison, que j'ai fait coulisser la porte de la fourgonnette, l'animal a détalé dans la rue. Une auto a freiné de justesse, un cycliste a fait une embardée, j'ai couru après, je l'ai attrapé deux coins de rue plus loin.

Je suis revenue, tenant serrée contre moi cette bête suicidaire, gigotant et jappant. Luka était déjà entré dans l'appartement.

Ce chien est complètement taré. Karine est furieuse et menace de le retourner au chenil si ton fils ne s'en occupe pas. Il lui a quand même trouvé un nom. Tu sais comment il l'a appelé ? Bestiau !

En attendant la suite des choses, Bestiau dort dans ma chambre, complètement épuisé.

Maintenant, je vais au parc tout seul après l'école. J'ai changé de jeu. D'abord, je dépose mon sac sous les érables, et je me mets en position. En criant, je dévale la pente le plus vite que je peux, de plus en plus vite, jusqu'à trébucher, et je me laisse tomber en roulé-boulé jusqu'en bas. Je reste étendu un moment, les yeux fermés. Ça fait même pas mal. Simon, c'est rien qu'un bébé lala. Puis je rentre à la maison, je repousse Bestiau qui me mordille les mollets, je photographie Mathilde, j'ouvre mon ordinateur et je vais sur Internet.

Je revenais de l'école quand Jamie m'a aperçue et a traversé la rue pour me rejoindre. Il n'habite pas très loin de chez nous, mais quand même, il a fait un détour pour venir jusqu'à notre porte. Nathan, est-ce que tu te souviens de lui ? Il est grand et efflanqué, il n'a pas du tout ton style, pas sportif, trop maigre. Je ne comprends pas ce qu'il cherche, mais on dirait qu'il t'admire. Il voulait savoir des tas de choses à ton propos, c'est quoi ton grade, est-ce que ta mission est aussi dangereuse qu'on le prétend, tu as combien d'hommes avec toi sur le terrain. Je lui ai dit que tu étais sergent, que tu avais la responsabilité de dix hommes, et que pour le reste tu étais muet comme un poisson, pour raisons de sécurité.

— Pourquoi il est pas officier ? a-t-il finalement demandé. Il pourrait, non ?

— Je ne sais pas.

— Peut-être qu'il veut rester le plus près possible de ses hommes. Ça lui ressemblerait.

Jamie te prend pour une espèce de héros, je n'avais jamais pensé à toi de cette manière. En tout cas il est spécial, il semble bien te connaître, et on dirait que cette guerre lointaine nous rapproche, lui et moi. Il faut dire qu'à l'école, avec les copines, ça ne s'améliore pas depuis la chicane avec Odile. Elles sont de moins en moins amicales, elles m'évitent. Odile a dû leur dire que je ne voulais plus les aider avec leurs travaux. Je me demande sur quoi est basée l'amitié, finalement. Si je ris moins fort qu'avant, et même plus du tout, si j'ai des pensées secrètes que je ne partage pas, est-ce que je deviens une étrangère ? Une paria ?

Jamie m'a aussi demandé ce que je pense des insurgés, là-bas. J'ai haussé les épaules. Je ne comprends pas grand-chose à cette guerre, sauf que ce pays est le leur, que des armées étrangères l'occupent. Peut-être que je n'aimerais pas ça si des étrangers en armes patrouillaient dans les rues de mon quartier. La seule chose qui me tracasse vraiment, Nathan, ce sont les routes minées où circulent les convois de ton armée. Ils ressemblent à de longues chenilles empoussiérées, avec leurs blindés un derrière l'autre, leurs antennes oscillant dans le vent. J'ai vu ça à la télé.

Tantôt, en attendant les infos, je tenais Mathilde sur mes genoux. Elle mâchouillait avec énergie un anneau de plastique, signe annonciateur d'une nouvelle dent. Bestiau, couché à mes pieds, rongeait une vieille balle de tennis verte, et Luka, mine de rien, se collait contre moi. Karine préparait le souper.

Des pubs défilaient. Et puis de nouvelles images ont attiré mon attention, des images glauques, vert-de-gris, des combattants qui sautaient en parachute, des personnes blessées et apeurées, des ruines, un sauvetage en mer dans la nuit, une musique de fond qui ressemblait à des bombes sifflantes et à des pales d'hélicoptère en mouvement.

— On dirait un jeu vidéo, m'a soufflé Luka.

— C'est une pub des Forces armées pour le recrutement, j'ai répondu. Il n'y a pas assez de soldats pour combattre là-bas.

— Fermez-moi ça ! a crié Karine.

Mes parents ont toujours été mystérieux en ce qui concerne le prénom que je porte. Luka, c'est un prénom d'ailleurs, slave, yougoslave, bosniaque, croate, serbe, allez savoir. Papa a été là-bas il y a longtemps, une mission de paix en Bosnie. Bien avant ma naissance.

Il paraît que j'ai été le bébé le plus bercé par son père connu à ce jour. Ça explique pourquoi ma grande sœur ne peut pas me sentir. Un jour, je demanderai à papa pourquoi au juste je m'appelle Luka avec un *k*.

À force d'écouter les informations et les reportages à la télé, de nouvelles questions me trottent dans la tête, Nathan. Plus ça va, plus j'en ai. Elles sont différentes de celles que Luka te posait il y a deux mois. Il m'énerve de plus en plus, celui-là. Tous les jours, il revient de l'école avec ses habits crottés, comme s'il s'était roulé dans la terre mouillée. Aujourd'hui, une égratignure longue de trois centimètres lui barrait la joue. Karine ne s'en est même pas aperçue.

Je ne sais pas à qui les poser, mes questions. Par exemple, quand tu entres dans un village plein de vieux, de femmes et d'enfants, avec tes hommes armés jusqu'aux dents, avec des chargeurs en réserve, comment te sens-tu? Ici, dans notre pays, personne n'est obligé d'aller à la guerre. Alors pourquoi tu y vas, toi? Pourquoi toi et Karine avez fait un dernier bébé et que tu disparais peu après?

Serais-tu un homme qui aime l'adrénaline plus que ses enfants?

J'ouvre l'ordinateur, je me retrouve sur *YouTube* comme d'habitude et j'écoute les balles ricocher et les sergents gueuler des ordres. Je regarde les gars marcher avec leur barda sur le dos ou rouler dans leur blindé en faisant des farces très très plates pour tromper la peur. Et de temps en temps — ça, on le voit jamais sur *YouTube* —, un gars explose. Et on ramasse ses morceaux pour les envoyer à sa famille. Quand les familles reçoivent les morceaux, elles déclarent, les familles, que leur fils, leur mari, leur frère était brave et qu'il aimait son métier de soldat et qu'elles sont tellement fières de lui.

Dans la lumière dure de midi, quelques blindés, moteurs en marche, attendent. Des tentes de nomades aux couleurs délavées sont montées à l'extérieur du village. Nathan et ses soldats en armes scrutent les alentours. En arrière-plan, des montagnes escarpées.

Trois personnes sortent d'une de ces tentes, s'approchent des blindés. La première, une soldate avec une croix rouge brodée sur sa manche, fait signe à ses frères d'armes que tout va bien. Les deux autres, des hommes enturbannés, se dirigent droit sur Nathan. Le plus vieux sort de sa poche un objet terni, très sale, et le lui tend. L'autre homme traduit les paroles du vieillard. « Vous avez sauvé ma petite-fille. Prenez. Il appartenait à mon épouse, et avant elle à sa mère, et à la mère de sa mère. »

Nathan fait non de la tête et demande à l'interprète de traduire pour lui. « Nous avions ces antibiotiques. Nous sommes heureux que l'enfant se porte mieux. Ceci appartient à votre femme, redonnez-le-lui. » Le grand-père insiste, l'interprète traduit encore une fois : « Tous les membres de sa famille sont morts. Il ne lui reste que sa petite-fille. Il veut absolument que vous donniez ce cadeau à votre épouse. »

En plus d'aller chercher Mathilde à la garderie trois fois par semaine, c'est moi qui sors Bestiau matin et soir, sinon il cavale d'un bout à l'autre de l'appartement, se roule sur le dos, rebondit sur ses pattes et recommence jusqu'à épuisement total. Je l'ai même surpris à ramener tous les jouets de Mathilde au centre du salon et à courir autour. Je crois que ce chien prend ses toutous pour des moutons dispersés.

Ce soir, Karine rentrera plus tard que d'habitude. J'ai préparé des pâtes à la sauce tomate pendant que Luka faisait manger Mathilde et que Bestiau galopait, une chaussette trouée entre les dents. On s'est installés devant la télé avec nos bols qui sentaient le fromage fondu, on était plutôt bien, mieux que lorsque Karine est parmi nous.

Au téléjournal, on a appris que certains des insurgés les plus extrémistes, ces guerriers voyous qui fabriquent des bombes artisanales, ont encore brûlé une école de filles pendant la nuit. On voyait à l'écran des ruines fumantes. Leur chef a déclaré que si ses hommes voyaient des fillettes sur le chemin de l'école, ils les tueraient. Il a ajouté qu'ils tueraient aussi ceux et celles qui persistent à enseigner aux filles.

— C'est vrai, ça ? a demandé Luka qui ne mangeait plus. Les extrémistes veulent tuer les filles qui vont à l'école ? Pourquoi ?

— Ils pensent que si elles apprennent à lire et à écrire, elles vont se mettre à penser toutes seules. Quand elles grandiront, elles refuseront peut-être de porter la burqa. Ou de se marier à douze ans avec un inconnu.

— Elles deviendront comme toi, des premières de classe ?

— Ça se pourrait, Luka. En tout cas, je crois qu'elles deviendraient libres. Peut-être que ça leur fait peur, à ces hommes-là, la liberté des filles.

Dany a donné quelques coups sur la clôture de l'école avec son sac à dos, puis il est sorti dans la rue et je l'ai suivi de loin. De dos, il avait l'air triste et j'ai trouvé ça bizarre. Je ne savais pas qu'un pitbull pouvait être triste. Ça m'a donné un peu de courage et j'ai continué à le suivre en m'approchant de plus en plus. Il n'est pas beaucoup plus grand que moi. C'est juste qu'il semble toujours aux aguets, comme une bête sauvage en mode survie.

Je l'ai rejoint aux premiers feux de circulation. Je me suis arrêté à côté de lui, j'ai pris une grande respiration et j'ai dit :

— Veux-tu te battre avec moi ?

— T'es trop petit. T'es trop peureux.

— On pourrait faire semblant, alors. Jouer à la guerre. Mon père…

— Quoi, ton père ?

— Il est parti en Afghanistan. Il est patrouilleur.

— Le mien est en prison.

Encore une fois, nous étions là, tous les quatre, à fixer les pixels de la télé quand la nouvelle est tombée. Le lecteur de nouvelles avait la voix grave et triste.

Un véhicule de ton régiment avait sauté sur la route poussiéreuse entre KAF et un poste avancé. Un convoi de ravitaillement. Le blindé de tête. Une bombe artisanale. Les hommes enfermés dans le blindé étaient tous morts, leurs corps brûlés, leurs casques intacts.

Luka s'est levé, aussi droit qu'une barre d'acier, les poings fermés. Karine a ricané, pâle comme la craie, les bras pendant de chaque côté du corps. Mathilde, dans mes bras, pleurait sans savoir pourquoi.

On ne donnait pas les noms.

— On le saurait déjà, a réussi à articuler Karine. Ils ne laissent pas filtrer la nouvelle avant d'avoir prévenu les familles.

— Mais ils n'ont pas dit les noms! a crié Luka. Ça peut être papa!

— Calme-toi! Ce n'est pas lui! C'est impossible!

Karine a pris Mathilde et s'est enfuie vers sa chambre. Luka, toujours debout, n'arrêtait pas de trembler, les poings blanchis à force de les serrer. Je me suis tournée vers lui : «Elle a raison, dans ces cas-là, un officier, accompagné du padre, vient frapper à la porte. La famille devine tout de suite quand elle les fait entrer. Ils parlent avec une voix douce et désolée. L'épouse se sent mal. Le padre lui tient la main et lui parle de Dieu. Tu vois bien que personne n'est venu. »

Luka s'est assis près de moi. On n'a plus parlé. Finalement, après un moment, on est retournés chacun dans nos cellules. Mais je n'arrivais pas à me concentrer sur mon devoir de maths. Je n'arrivais pas à dormir non plus.

Il était tard dans la nuit quand Luka a hurlé. J'ai bondi, couru jusqu'à sa chambre. Il était assis dans son lit, les yeux fixes.

— Luka? Ça va?

— J'ai rêvé.

— Raconte.

— Non.

— Tu vas te rendormir?

— Non.

— Tu veux que je te lise une histoire?

— Oui.

J'ai pris au hasard un des livres de contes au bas de son étagère, j'ai reconnu mon vieil album de *Chien Bleu* et j'ai dit : «Fais-moi de la place. » Je me suis glissée sous la douillette. C'était mouillé.

— Tu as eu très peur dans ton rêve. Viens, on va changer les draps.

Il s'est mis à pleurer, ton grand petit garçon. À travers ses larmes, il marmonnait : «Je voudrais que le temps recule, je voudrais que l'avion qui a amené papa atterrisse la queue en premier, que l'autobus des soldats roule en marche arrière jusqu'à la grande salle du bataillon. Je voudrais me retrouver avec toi, Mathilde, maman et lui comme une grappe de personnes qui s'aiment, et ne plus bouger de là, jamais. »

Je n'ai pas répliqué à mon petit frère que ce jour-là, quand tu es parti, nous ne formions pas une grappe. J'ai changé les draps. Bestiau est venu nous rejoindre sur le lit et a posé sa tête sur le ventre de Luka, qui l'a laissé faire. J'ai lu l'histoire du grand chien protecteur jusqu'à la dernière page, jusqu'à la dernière phrase : «Je resterai toujours auprès de toi. »

Au petit matin, le téléphone a sonné, j'ai couru, Luka sur mes talons. Karine était toujours terrée dans sa chambre, c'est moi qui ai répondu. J'avais si peur, Nathan, on ne sait jamais. Ta voix, à travers les grésillements, qui criait : «Je vais bien! M'entendez-vous ? Je vais bien! »

J'ai passé le combiné à Luka : «Je n'étais pas dans ce convoi! Ne vous inquiétez pas! »

Ensuite, on a dormi comme des brutes et on est arrivés en retard à l'école.

Je me souviens que l'année dernière, quand papa, maman et le bébé étaient revenus de l'hôpital, on s'était réunis tous ensemble au salon et papa nous avait présenté notre petite sœur Mathilde. Maman était souriante, fatiguée et heureuse à la fois. Ça la rendait belle.

Ensuite, Laurence avait pris le poupon avec précaution et je m'étais approché. Le bébé avait attrapé mon doigt et l'avait serré très fort en me regardant droit dans les yeux. Mon cœur avait fondu comme une guimauve. Nous étions une vraie famille alors, tous rassemblés autour de notre trésor.

Nathan, depuis qu'on a eu si peur, je voudrais tant te voir revenir de ton jogging chaque matin. Je m'ennuie de nos excursions d'hiver en raquettes ou en ski de fond sur les sentiers les plus durs et les plus longs. Après, on allait manger des hot dogs et des frites, on ne parlait jamais à Karine de tout ce *junkfood*, c'était notre secret et on s'endormait dans l'auto en revenant vers la ville, moi et Luka, le ventre plein et les joues rouges.

Je pense à la fois — pendant les dernières vacances de Pâques, t'en souviens-tu? — où j'ai grimpé avec toi dans cette tour de métal. En haut, sur l'étroite plateforme, tu m'as demandé si j'étais toujours décidée à sauter en *bungee*. Je ne savais plus si je voulais. Alors tu m'as harnachée de sangles, et tu as attendu. Je tremblais de partout, j'étais incapable de regarder en bas. Finalement, morte de peur, j'ai fait signe que oui, et je me suis laissée tomber tête première dans le vide parce que je savais que jamais au grand jamais tu n'allais m'abandonner, et j'ai volé dans les airs jusqu'au bout de l'élastique, rebondi encore et encore, dans le bonheur et la peur mélangés.

t'as mis tes beaux habits, ton béret, pris ton barda
disparu derrière la grande porte. Parti en mission. Pris l'avion
des cailloux du sable des champs de pavot

t'es parti combattre

tu nous écris des courriels, tu téléphones des fois
on t'envoie des photos de nous trois
des colis avec des douceurs, des odeurs de talc

t'es parti combattre la peur

assis dans un blindé au plancher de métal
ton fusil entre les jambes, yeux grands ouverts dans le noir
tu roules sur des chemins truqués

t'es parti combattre la peur, la détresse

il paraît que c'est plein d'assassins là où tu es
que personne ne vous aime la face
qu'on vous tend des pièges, qu'on vous tire dans le dos

t'es parti combattre la peur, la détresse, le chaos

tu peux perdre un bras, un œil, deux jambes
tu peux perdre la tête, maman et nous tes enfants
je comprends rien je comprends pas

t'es parti, papa

La semaine dernière, dans la nuit, Laurence s'est transformée en vraie grande sœur. Mais ça n'a pas duré longtemps. Deux jours plus tard, elle me criait après comme d'habitude et pour les mêmes raisons : mes jeans sont sales, avec un trou au genou, et je ne m'occupe pas de Bestiau. Mais je sais qu'elle n'écrira jamais à papa pour se plaindre de moi. On ne veut pas qu'il s'inquiète pour nous. Il doit garder son esprit toujours vigilant.

Jamie m'attend parfois à la sortie de l'école et aujourd'hui, il est venu avec moi jusqu'à la garderie. Je lui ai présenté Mathilde, qui lui a roucoulé son dadadada. Peut-être que tous les grands gars sont des papas pour elle, qu'en dis-tu Nathan ? Il l'a trouvée belle, notre Mathilde, et m'a offert de porter mon sac pendant que je m'occupais de la poussette.

On descendait la côte à pic vers la maison quand je lui ai lancé :

— As-tu un petit frère ?

— Non. Pourquoi tu demandes ça ?

— Parce que j'en ai un et... Rien. Laisse faire.

— Moi, j'ai un grand frère. Jonathan, il s'appelle. Il a dix-sept ans, presque dix-huit, et il rêve de s'engager dans les Forces armées.

— Il est fou, ton frère ?

— Non. Il ne veut plus aller à l'école. Il dit qu'il n'apprend rien. Il est du genre hyperactif.

— C'est pour ça que tu me posais toutes ces questions sur mon père, sur l'armée ?

— Un peu, oui…

— J'aimerais ça rencontrer Jonathan.

Dany a accepté de jouer à la guerre sur la colline avec moi et nous y allons tous les soirs après l'école. Un jour je gagne, un jour je perds, j'aime ça. Lorsque papa est parti, je ne savais rien de ces jeux-là. J'étais presque un bébé dans les jupes de son père. J'ai changé vite, presque aussi vite que Mathilde. J'aime gagner et abattre l'ennemi avec mon fusil imaginaire. Je me sens fort et invincible. J'aime perdre aussi, je ne sais pas trop pourquoi. Quand Dany me tue à son tour, que je tombe et dévale la colline, quand je me retrouve sur le dos, le ventre transpercé de balles, c'est comme si mon papa, là-bas, les tuait tous. Et lorsqu'on est mort, on ferme les yeux, on ne bouge plus. On se repose.

On a reçu un colis de toi, Nathan. Je crois que nos colis se sont croisés au-dessus de l'Atlantique. Ta boîte de carton avait déjà servi, et de l'intérieur montait une curieuse odeur. Luka a plongé la tête dedans et l'a reniflée. «C'est l'odeur de l'Afghanistan», a-t-il affirmé, le plus sérieusement du monde. C'est vrai que ton colis dégageait une senteur de poussière, d'épices et de linge sale. Des grains de sable s'étaient infiltrés ici et là.

Sur le dessus, tu avais déposé un châle pashmina aux couleurs rouge et or pour Karine, qui ne l'a même pas déplié, et une casquette de ton régiment avec un castor brodé sur le devant pour Luka. Dessous, quatre petits tapis de laine aux motifs rouge sombre, un pour chacun de nous. Et tout au fond, un paquet avec mon nom écrit en lettres carrées.

Je ne voulais pas l'ouvrir devant les autres. Je suis venue m'enfermer dans ma chambre et j'ai déchiré le papier.

Quel étrange cadeau tu m'as fait.

Le collier pèse lourd dans ma main. Il est vieux et terni, formé de billes trouées et de petites feuilles de métal gris repliées et soudées sur un anneau. Tout ça s'enfile en alternance sur une corde cirée et malpropre, comme si une femme avait porté le collier pendant cent ans, et que la crasse de son cou avait imprégné la corde. Qui l'a porté? D'où vient-il? Je ne sais pas quoi penser de ce collier, Nathan. Il n'est pas beau. Je l'ai déposé sur ma commode.

Moi et Dany, même si on n'est pas des amis, on rejoue au même jeu chaque jour après l'école. Quand je tombe, transpercé d'une balle ou assommé ou n'importe quoi, quand je tombe et que l'autre crie victoire et me piétine, je reste mou comme une guenille. Je meurs, et ça me rend heureux d'imaginer que ma sœur détestable éprouve du chagrin, qu'elle pleure et qu'elle me regrette, et que c'est trop tard pour me dire qu'elle m'aime. Et comme je ne meurs pas pour de vrai, c'est génial parce que je peux encore rentrer à la maison, photographier Mathilde, la prendre dans mes bras et la faire sauter à cheval sur mes genoux. Des fois, je laisse Bestiau se joindre à nous.

Je me dirigeais vers la garderie quand j'ai aperçu de loin Luka et un nouvel ami qui marchaient vite, dans une direction opposée à la mienne. Son copain balançait les bras et regardait constamment de droite à gauche, comme si des ennemis pouvaient surgir à tout moment. Luka portait sa fameuse casquette au castor brodé vissée sur la tête, la palette par en arrière. Je crois qu'il dort avec toutes les nuits. Ils s'éloignaient de notre quartier. Sans réfléchir, je les ai suivis de loin. Ils ont pris une rue parallèle à la nôtre pendant un moment, puis sont entrés dans un parc, tu te rappelles, Nathan, celui où tu l'emmenais glisser en traîne sauvage ? Je les ai vus disparaître entre les érables.

Karine, notre fantôme maison, reste muette la plupart du temps. Mais ce soir, après les infos, elle a explosé en paroles de colère devant nous, ses enfants : « L'armée entraîne de jeunes hommes ignorants à recevoir des ordres et à obéir. La maudite loyauté aux ordres ! Ça les rend idiots ! »

Luka a marmonné que son papa n'était pas un idiot, que son papa était un bon soldat, et il est parti rejoindre son ordinateur. Elle a continué de râler contre l'armée, cette machine à tuer. Une chance qu'on n'habite pas sur la base. Si on y vivait, comme Valérie et ses deux petits garçons, si on savait ce que maman pense de l'armée et de ses hauts gradés bardés de galons et de médailles, on lancerait des cailloux dans nos vitres, on nous crierait des insultes dans la rue après l'école.

J'ai soulevé Mathilde pendant que ton épouse s'obstinait à parler dans le vide, d'une voix cassée, t'accusant encore une fois de l'avoir traînée d'une base militaire à l'autre à la grandeur du pays, ça dépendait des affectations. Que cette vie de nomade, sans véritables amis, sans pouvoir s'enraciner nulle part, toujours à s'inquiéter, ça l'avait usée. Elle est partie brusquement vers sa chambre. C'est vrai qu'en plus des cernes, elle a des rides autour de la bouche, deux plis qui lui donnent l'air flétri. Si elle pouvait au moins sourire un matin sur deux, ce ne serait pas trop demander, non ? Et pourquoi ne pas en profiter pour caresser les cheveux de Luka, me remercier de prendre soin de ma petite sœur ?

D'ailleurs, pourquoi elle l'a fait ce bébé ? Pour t'obliger à rester près d'elle ?

Tu veux savoir la vérité, Nathan ? La vérité toute crue ? Elle ne t'aime plus.

Et moi, je ne veux pas vivre avec une mère aux lèvres pincées, aux yeux de basalte.

Je rentrais de l'école, après un détour par la colline. Laurence promenait le chien juste en face de la maison, un sac de plastique à la main. Bestiau m'a vu et a tiré sur sa laisse, la queue en folie. Laurence l'a arrêté d'un coup sec.

Elle a traversé la rue, mon chien collé à sa jambe, la laisse raccourcie jusqu'à l'étrangler.

– Tu pourrais au moins t'occuper de ton chien ! C'est moi qui fais tout ! J'ai laissé Mathilde toute seule dans son lit pour sortir Bestiau !

– J'ai joué avec Simon dans les feuilles mortes, j'ai dit.

— Ben voyons. Il n'y a même plus de feuilles. Et tu ne joues plus avec Simon, je t'ai vu avec ton nouvel ami. Il a l'air louche, celui-là.

— T'es rien qu'une espionne, j'ai répondu. Tu m'écœures.

Paf! Sa gifle éclair m'a brûlé la joue. Je m'en fous. Ça fait même pas mal.

Karine a décidé de ne plus regarder les bulletins de nouvelles. «Je ne veux plus rien savoir de tout ça, a-t-elle dit en brassant ses casseroles dans le coin cuisine. Quand je vois un cercueil revenir au pays, ces dignitaires au garde-à-vous et l'officier de service qui se tient aux côtés de la famille en deuil, j'ai envie de vomir. »

Moi et Luka, malgré nos chicanes, on a encore rendez-vous chaque jour à six heures pile au salon. Sans un mot, sans se toucher, on s'assoit côte à côte. Bestiau, qui grossit à une vitesse phénoménale, se couche à nos pieds. J'ai vu hier un reportage sur les enfants de là-bas. Il y en a qui vivent dans des ruines, d'autres dans des tentes. De toutes petites filles aux cheveux en broussaille s'occupent des bébés.

Ce soir, ils ont dit qu'un autre soldat de ton régiment était mort, toujours ces bombes artisanales et ces blindés pas assez blindés. Il y a aussi des pertes chez les civils, un homme âgé a été abattu par erreur, un enfant a sauté sur une mine, une voiture piégée a explosé au marché…

On connaît la routine. On ne saura pas tout de suite qui est le soldat mort. Tu vas communiquer avec nous le plus vite possible pour dire que tu vas bien. Le problème, c'est qu'on ne sait pas quand, et que le serpent logé au milieu de mon estomac prend de plus en plus de place. On va attendre ton appel. Attendre.

Papa a téléphoné, et c'est moi qui lui ai parlé le dernier. Il m'a demandé des nouvelles de Bestiau. J'ai répondu ça va. Il m'a demandé comment vont les choses avec Laurence, j'ai dit ça va. Et l'école ? Ça va. Toi et ton ami Simon ? Ça va. Il m'a remercié pour les photos de Mathilde et dit qu'il les attend chaque soir et que ça lui fait chaud au cœur et qu'il est content de voir que je suis un garçon généreux. Quand j'ai raccroché, je n'ai pas osé regarder les autres. On n'est rien qu'une bande de menteurs.

Jamie m'a amenée chez lui après l'école. Il m'a présenté Jonathan et nous a laissés seuls au salon. Contrairement à son frère, Jonathan est costaud. Comme toi, Nathan, c'est un sportif. Comme toi, il a pratiqué des sports

66

extrêmes. Mais ce n'est pas assez, il faut croire. Il veut s'engager dans l'infanterie, le corps de métier le plus dangereux de l'armée. Comme toi.

À lui, je pouvais poser les questions que je me pose à moi-même toute seule dans ma chambre, surtout la nuit.

— Oui, c'est vrai que je déteste l'école, a-t-il commencé. Je ne veux pas aller au cégep, encore moins à l'université. Mais je ne veux pas travailler au salaire minimum non plus, me retrouver au chômage la moitié de l'année. Dans l'armée, je veux devenir chauffeur de blindé, ou peut-être patrouilleur. Au bout d'un an, je peux devenir caporal. Je vais bien gagner ma vie, et si je suis déployé à l'étranger, dans une zone à risques, j'aurai des primes en plus. J'ai envie de voir du pays, de connaître des aventures, j'ai envie d'être fier de moi. J'ai plein d'énergie. J'en ai trop, je ne sais pas quoi faire avec.

— Tu pourrais devenir boxeur. Videur à la porte d'un bar louche.

— Je déteste les coups de poing sur la gueule. J'aime mieux un fusil.

— Et obéir aux ordres, tu vas aimer ça ?

— Ça me dérange pas, si les ordres sont corrects.

— Si on t'ordonne de tirer sur des insurgés, tu le feras ?

— Pour me défendre ou défendre des civils en danger, oui.

— Si les ordres ne sont pas bons ?

— C'est pas moi qui les donne ! Et dans le feu de l'action, il faut absolument obéir aux ordres parce qu'on ne connaît pas les stratégies des officiers. On est en première ligne, ça va vite, il faut faire confiance, sinon on risque sa vie et celle des autres soldats.

Tu veux savoir, Nathan ? Ce type parle comme une marionnette. Il répète des phrases apprises au centre de recrutement. Je lui ai quand même demandé :

— Tu as vu à la télé la cérémonie, quand on a rapatrié les corps des soldats tués la semaine dernière ? Quand tu as vu les cercueils enrubannés dans le drapeau unifolié glisser du ventre de l'avion, qu'est-ce que tu as pensé ?

Il n'a même pas eu l'air troublé. Il s'est juste redressé un peu plus.

— Que les gars n'ont pas eu de chance. Même ici on peut mourir n'importe quand, dans un accident d'auto, en traversant la rue, en faisant du ski acrobatique.

Il commençait à vraiment m'énerver, ce Jonathan. J'ai haussé le ton :

— Les Forces armées veulent des jeunes gars comme toi parce qu'ils manquent de combattants là-bas, tu es au courant ? De la chair à canon, tu sais ce que c'est ? Est-ce qu'on t'a prévenu que les hommes du rang sont vingt fois plus nombreux à mourir au combat que les officiers ? Sur Internet, on trouve plein d'informations là-dessus !

Il s'est mis à rire, ce débile. Rien de ce qu'il m'a raconté ne me fait comprendre pourquoi, toi, tu es parti. Étais-tu comme lui, Nathan, à dix-huit ans, quand tu t'es engagé ? Aussi niaiseux ?

Est-ce que Karine aurait raison ?

Tantôt, Laurence m'a pris le bras très fort et l'a secoué. Elle grondait :

– Occupe-toi de ton chien !

Je me suis dégagé. Elle l'a repris en serrant plus fort encore. J'ai sifflé :

– Lâche-moi, sinon…

Elle a lâché prise. Elle est folle. J'aimerais ça qu'elle disparaisse, et aussi maman, qui n'aime plus personne. Je resterais seul avec Mathilde, et on attendrait papa ensemble, et c'est moi qui la conduirais à la garderie au lieu de mon *boss* de sœur ou de mon iceberg de mère, et papa reviendrait parce qu'il n'aurait rien gagné au loto de la mort, et nous formerions tous les trois une famille d'amour.

À l'école, je nage dans le brouillard, mes notes dégringolent et mes ex-copines habitent une autre galaxie loin de chez nous. Dans une autre vie, il y a si longtemps, j'étais occupée à rire avec elles et à battre des scores aux examens. Maintenant, ma vie ressemble à une maison dont les murs lézardés s'écroulent. Et puis on t'écrit des courriels fantaisistes, on t'écrit des histoires abracadabrantes. Si tu étais le moindrement perspicace, tu ne croirais pas un mot de ce qu'on te raconte, surtout à propos de ton fils et de son chien tordu qui n'écoute personne et prend nos chaussettes pour des proies.

Et puis Jamie m'exaspère avec son admiration pour toi, comme si tu étais un dieu ou quelque chose du genre. Encore aujourd'hui, sur le chemin de l'école, il me parlait de toi.

— Ton père disait : « Prenez des risques, les gars. Allez au bout de votre énergie, donnez tout de suite. »

— Mon père raconte n'importe quoi. Du moment que ça l'arrange.

— Il a ses raisons, Laurence.

— Une prime, une mission avec ses frères d'armes, s'éloigner de Karine pour un moment. Les voilà, ses raisons ! Il m'a laissée toute seule !

Je me suis mise à pleurer, une digue venait de lâcher, Jamie ne savait plus quoi dire pour me calmer. Et quand il m'a demandé finalement si tu venais en permission bientôt, j'ai balbutié que oui, dans deux semaines, mais que je ne pouvais pas attendre jusque-là et j'ai sangloté encore plus fort en m'accrochant à lui. Je devais ressembler à une fille en train de se noyer.

Jamie m'a donné des petites tapes dans le dos. Il répétait : « Ça va aller. Ça va aller, Laurence. Tu es forte. » Et il m'a plantée là, devant la porte de la maison, comme un vieux chiffon qu'on jette.

Aujourd'hui, sur la colline, je ne sais pas pourquoi, on a commencé par se lancer des injures, on s'amusait à souffler comme des phoques, Dany m'a donné une petite claque de rien, moi un coup de pied dans le tibia, un autre. Tout d'un coup, je l'ai poussé de toutes mes forces avec les mains, il a perdu l'équilibre et a roulé jusqu'en bas. Il ne bougeait plus.

Puis il s'est assis en faisant semblant qu'il trouvait ça drôle. Moi, d'en haut, j'ai hurlé le plus fort que j'ai pu : « Crève ! Salaud ! Crève ! »

On est partis, chacun de notre côté.

Je suis passée chez un bijoutier de la rue Saint-Jean après l'école. J'avais apporté le collier que tu m'as offert en cadeau. À force de traîner sur la commode, il avait continué à noircir.

Sur place, je l'ai sorti de ma poche et j'ai demandé au bijoutier comment m'y prendre pour le nettoyer. Il l'a examiné longuement, palpé, retourné dans tous les sens.

– D'où vient-il ? a-t-il demandé.

– Je ne sais pas.

– C'est la première fois que je vois un collier comme celui-ci. Il a été fabriqué de manière artisanale, chaque pièce a été martelée. Il est usé, il me semble très ancien. On voit parfois ce genre de travail chez certaines tribus nomades d'Asie centrale.

– Ah bon.

– Les pièces sont en argent, ça explique pourquoi il s'oxyde facilement à l'air. Tu n'as qu'à le nettoyer avec ce linge à polir, comme on fait pour l'argenterie. Regarde.

Il a déposé le collier sur un tissu pelucheux et a frotté délicatement chaque bille de métal entre ses doigts.

– Tu vois ? Le métal retrouve son éclat. Tu fais la même chose pour chaque bille.

Je lui ai acheté un linge à polir. Ce soir, seule dans ma chambre, je caresse une à une chacune des pièces du collier nomade et je pense à Jamie qui m'évite depuis qu'il a vu ma fragilité. Je veux que ça s'arrête, Nathan. Je veux que Karine s'occupe de ses petits, que toi tu reviennes t'occuper d'elle et de nous. Notre famille ne tenait qu'à tes bras, comprends-tu ? Sans toi on vacille, notre radeau part à la dérive.

Luka et moi on était au salon, silencieux, pendant que Mathilde marchait à quatre pattes sur le tapis, Bestiau derrière elle. On fixait l'écran et on entendait toutes ces paroles creuses et vides. «Aujourd'hui, sur la route qui relie Kandahar au campement le plus éloigné, un convoi de ravitaillement... Un blindé a sauté sur une mine... Deux soldats tués...» Des images de métal tordu et fumant. Et un major qui déclarait, de cette voix caverneuse : «Nous nous attendions à des morts dans nos rangs, il y en aura d'autres, nous faisons tout notre possible pour les éviter, nous savons que nous ne pouvons pas.» Derrière le major, des montagnes en dents de scie et des cailloux. Étrangement, chaque fois que j'entends des mauvaises nouvelles, je me calme. Ce n'est pas toi, on le saurait déjà. Mon serpent s'endort.

Et puis la porte de l'appartement s'est ouverte à l'autre bout du corridor. Je me suis retournée. Karine, plus blême que d'habitude, avançait vers nous. Elle a bégayé : «Je... Je reviens de chez Valérie. Un des soldats tués... c'est Kevin.»

L'ami de mon père a explosé dans une embuscade. Ses petits garçons et leur mère sont au Centre de la famille avec le psy et le padre. Le corps en morceaux de leur papa va revenir par avion d'ici quelques jours. Il paraît qu'un nuage d'oiseaux noirs est descendu sur la base militaire et que les adultes marchent la tête vers le sol.

Je me dis que si Kevin est mort, papa ne mourra pas. Si Kevin est mort, papa ne mourra pas.

On t'a vu à la télé, Nathan.

Sur le tarmac, on portait les deux cercueils jusqu'à l'avion militaire. Ça prend huit soldats vivants pour transporter un soldat mort, quatre de chaque côté du cercueil. C'est lourd, une dépouille de soldat. Des militaires de tous les pays engagés dans cette guerre se tenaient au garde-à-vous. Il me semble avoir entendu la mélopée d'une cornemuse.

Et toi, avec sept autres, tu portais le cercueil de ton frère d'armes.

Je te le dis, Nathan, ça n'avait pas l'air vrai. C'était comme un film. Tu avais le visage aussi fermé que celui de Karine. En plus dur encore.

Assis près de moi, ton fils pleurait. Pas moi.

Tu as écrit un courriel à tous : « Je reviens bientôt en permission. C'est très dur pour nous ici. Dites à Valérie que… »

Il n'y a rien à dire à Valérie. Elle est détruite par le chagrin. Ses petits garçons n'ont plus de père. Lorsque le cercueil de Kevin est arrivé de ce côté-ci de la planète et qu'on l'a sorti de l'avion, enveloppé dans son drapeau, elle a levé la tête vers le ciel et hurlé comme une louve.

Karine va la voir chaque soir après le travail. Moi, je garde tes enfants.

Un jour, je te dirai ce qui s'est passé pendant ton absence, et tu ne vas pas aimer ça. Un jour, tu sauras la vérité sur les genoux en lambeaux de ton fils, le regard figé de Karine, nos planètes Solitude, mon serpent obèse.

La permission

Deux semaines de permission à l'abri de la mort et des pensées noires, c'est ce que tu voulais, hein Nathan ? Eh bien, c'est raté. Sitôt arrivé, tes sacs de toile encombraient encore l'entrée, une querelle éclate, Karine jappe : « Le sais-tu, pauvre idiot, que notre gouvernement envoie des hommes dans ce pays ravagé juste pour être gentil avec nos puissants voisins du sud ? Tu as appris à fermer ta gueule, à faire ce qu'on te dit. Est-ce que c'est de l'intelligence ? Y penses-tu, des fois, à ça ? Kevin est mort pour rien ! » Les portes claquent, tu t'en vas prendre une bière avec les copains du régiment. Sauf que rouler à moto sur les routes de décembre, c'est plus dangereux que de rouler dans un blindé, tu sauras !

Je ne reconnais plus mon papa. Ses yeux sont enfoncés et cernés. Il s'enferme dans sa chambre jusqu'à midi. Il sursaute si on fait du bruit, mais quand le silence est trop grand, il s'installe devant la télé, le son au maximum, en buvant plein de cannettes de bière et, quand elles sont vides, il les écrase dans sa main. Il a sorti sa vieille moto du garage et part souvent faire des balades tout seul sur les routes recouvertes de glace noire. Il ne nous parle pas de là-bas. Il ne parle plus d'écoles à reconstruire, ni de dispensaires pour les malades, ni de rien. Peut-être qu'il n'y a pas de mots pour décrire là-bas.

Maman, le jour de son arrivée, était aussi pâle qu'une étoile morte. Le lendemain, elle est partie habiter chez son amie. Elle a changé de famille, on dirait. Chez Valérie, m'a raconté Laurence, elles chuchotent et pleurent à longueur de journée, comme deux veuves, pendant que les petits garçons orphelins jouent sous la table de la cuisine. Le pot de verre rempli de jujubes a été fracassé.

Tantôt, Laurence rentrait d'une promenade avec Mathilde, papa a regardé sa montre et a lancé :

– Tu es en retard d'une heure !

– Je rentre quand je veux !

Il lui a jeté un regard aussi dur qu'une pierre. Laurence a crié comme une folle : « Si t'es pas content, retourne à ta guerre ! » Mathilde s'est mise à pleurer.

Il est sorti de la pièce. Il avait la démarche d'un robot.

Depuis que tu es revenu et que Karine est partie en catastrophe camper chez Valérie, je suis devenue plus que jamais l'adulte de service ici. Oui, je sais. C'est moi qui ai demandé à Karine de nous laisser Mathilde. Je voulais qu'elle te fasse mille câlins, que tu respires son odeur sucrée et que tu reviennes parmi nous. Mais tu la prends si rudement qu'elle chigne dès que tu t'approches. Tu restes devant la télé pendant des heures, ton genou tressaute dès que tu t'assois. Tu piques des rages si Luka rentre une minute trop tard après l'école, tu cries dans tes rêves la nuit. On t'entend dans toute la maison.

Alors, qu'est-ce qu'une fille peut faire ? Je prends soin de ma petite sœur, je fais les repas du soir, je gronde ton fils. Je suis trop jeune pour porter le poids de vos angoisses, de vos chicanes, comprends-tu ? J'ai juste quinze ans ! Je veux redevenir la première de classe, celle que les profs regardaient avec admiration. Je veux me rouler de rire par terre avec les copines, parler avec Jamie sur le chemin de l'école. Quelles copines ? Je n'ai plus de copines. Et Jamie ? Envolé ! Je cohabite avec un serpent venimeux qui distille du poison dans mes veines nuit et jour, goutte à goutte.

Mon papa ressemble à un fantôme, et ma grande sœur, à une grenade dégoupillée. Mathilde ne sourit plus et Bestiau me colle aux talons parce que personne ne s'occupe de lui. Il jappe pour sortir, il jappe pour manger, il a déchiqueté le nounours de Mathilde.

Et puis papa, je l'ai vu pleurer tantôt. Il était dans sa chambre, assis sur le bord du lit, la tête penchée en avant. Pas rasé. En pyjama. Il était deux heures de l'après-midi. Je passais devant sa porte entrouverte et j'ai vu qu'il portait au cou ma dent d'ours qui protège des mauvais sorts. Il a senti que j'étais là et a levé la tête. Un regard de loup mort. Je me suis sauvé dans ma chambre. Est-ce que ça se peut, un regard de loup mort?

Quelle idée tu as eue de revenir à la maison! Déjà cinq jours de crises, de folie. On vit enfermés dans un cauchemar. Ton cauchemar! Ton fils, qui voulait juste t'aimer, et à qui tu donnes des ordres comme à une jeune recrue, fais ci, fais ça, ramasse tes affaires et dresse ce chien! Et Bestiau qui geint, la queue entre les pattes, dès qu'il t'aperçoit! Oui sergent! À vos ordres, sergent! Allez chier, sergent!

Tu aurais dû rester avec tes maudits frères d'armes, dans votre monde, à boire des bières, à pleurer vos morts, à *cruiser* des filles. C'est ça, hein, que vous faites, pour vous détendre, quand vous êtes en congé, coucher avec des prostituées pas plus vieilles que moi ?

Cette fois, je suis entré dans sa chambre et je me suis assis sur le lit à côté de lui. Je lui ai parlé doucement, comme il faisait avec moi quand j'étais tout petit et que j'avais de la fièvre. Il a mis du temps à répondre à mes questions. Peut-être qu'il avait du mal à trouver les réponses.

— Pourquoi tu vas à la guerre, papa ?

— Pour toutes sortes de raisons, mon Luka. J'aime bouger. La vie tranquille ne me suffit pas.

— C'est tout ?

— Mes frères d'armes sont ma famille.

— Et nous, papa ? On n'est pas ta famille ?

— C'est compliqué. Ta maman et moi… On ne s'entend plus très bien. On se donne du temps pour réfléchir…

— Mais… Mathilde, Laurence et moi, tu ne nous aimes plus ?

— Je vous aime comme un fou.

— Alors, reste.

— Je ne peux pas. Je dois finir ce que j'ai commencé. Je suis responsable de mes hommes. Et puis, j'espère encore qu'un geste de moi va changer quelque chose, là-bas.

— Quelles choses ?

— Sauver un enfant. Lui éviter de mourir. Calmer le jeu pour que la paix soit possible. Mettre un peu d'ordre dans ce chaos.

— Papa... Tu as tué des ennemis, là-bas ?

— J'ai tiré sur des hommes, oui.

On ne se parle plus, toi et moi, Nathan. Rien. Rien ! On est devenus des étrangers. Il n'y a personne pour m'aider dans cette maison.

Tu sais ce que je veux, là, tout de suite ? Déchirer à dents nues le serpent entortillé dans ma poitrine, le lancer à bout de bras ! Gifler Luka, encore et encore ! Flanquer des coups de pied au maudit chien ! Secouer la Mathilde hurlante jusqu'à ce que ses petits os craquent entre mes mains !

Je saisis le collier sur ma commode, le lance contre le mur, il explose, les billes scintillantes se détachent, volent dans l'espace, roulent aux quatre coins de la pièce.

— Va-t'en ! Va te faire tuer ! Crève !

Dans la nuit, j'ai entendu les cris de Laurence, qui venaient de sa chambre. Des cris effrayants. Comme une bête qu'on tue. Et puis plus rien.

Ce matin, c'est le dixième jour de la permission qui commence. Mais papa est parti avant le jour. Il a laissé, sur la table de la cuisine, deux enveloppes cachetées. Dans ma lettre, c'est écrit : « Pardonne-moi, mon fils. Quand je reviendrai de mission, je serai ton père à nouveau. Je te le promets. Je t'aime, papa. »

Nathan stoppe sa moto à l'entrée du cimetière. La terre gelée est recouverte de feuilles mortes et d'une légère couche de neige.

Il se dirige vers une pierre tombale, là où on voit que le sol a été retourné récemment.

Il reste debout, à scruter l'épitaphe. Sa voix n'est qu'un murmure :

« On voulait croire à ce qu'on faisait, hein Kevin ? Tu t'en souviens ? À vingt ans, on voulait devenir des héros. L'adrénaline nous poussait droit devant. »

Il attend. Une réponse, peut-être. Mais non.

« J'ai rien qu'envie de me saouler. J'ai rien qu'envie de creuser un trou à côté de toi, mon frère, de me recouvrir de terre et de feuilles. De dormir. »

Le refuge

Pendant ta permission, moi et Luka, on ne voulait pas te donner à porter notre vie parce que la tienne était remplie à ras bord de bombes artisanales et du corps déchiqueté de Kevin. Et moi, je ne pouvais ni t'approcher, ni te toucher, encore moins te confier mon désarroi. Mais je ne pouvais pas non plus m'en aller parce qu'il n'y avait nulle part où aller. Je me sentais encore plus seule.

À la fin, la rage a pris possession de moi, ma tête et mon corps étaient secoués de pensées meurtrières. Ça m'a fait peur, Nathan, cette fureur en moi, le désir de tout détruire, y compris ceux que j'aime. Ça m'a fait tellement peur. Tu ne peux pas savoir.

Et puis, tu t'es sauvé. L'enveloppe que tu m'as laissée avant de partir, je ne l'ai pas ouverte. Je l'ai jetée sur ma commode, à côté du collier en miettes.

Karine est rentrée à la maison le jour même de ta fuite. Elle a déposé sa valise, n'a pas pris la peine de dire bonjour, bonsoir, ça va les enfants ? Ma haine et ma rage sont tombées d'un coup, comme des armes trop lourdes qu'on ne peut plus porter et qu'on laisse tomber par terre dans le fond de la garde-robe. On a refermé la parenthèse de ta permission et réinstallé la vieille routine comme si rien ne s'était passé : l'école, les infos, les devoirs bâclés, sortir Bestiau, prendre soin de Mathilde, les chambres séparées.

Le temps s'est figé à nouveau, on vit dans un espace flottant, gris cendre, sans rien devant nous. On essaie de marcher dans la brume opaque. La bonne nouvelle, c'est que Luka et moi, malgré nos fâcheries, nous portons chacun notre tour Mathilde à bout de bras, tout en haut, là où la lumière danse.

Il paraît, m'a expliqué Laurence, que lorsque les soldats reviennent de la guerre et qu'ils ont vu trop de malheurs, d'enfants morts, d'amis morts, entendu trop d'explosions et trop de bruit d'armes à feu, ils font des rêves effrayants, leurs mains tremblent, leur cerveau fonctionne de travers. Ils pleurent et ne parlent plus à leurs enfants. Des fois, ils se mettent en colère pour rien ou ils boivent de l'alcool au goulot, avalent des drogues dures, et dorment sur le divan toute la journée. Les plus malheureux parfois se suicident. Les autres prennent des médicaments calmants. Ça dure des années.

C'est ça qui est arrivé à papa. Je voudrais tant le rejoindre et me battre avec lui, pour qu'il ne soit plus tout seul. Je ne sais même pas où il est, il n'écrit plus de courriels, ne téléphone plus. Je continue à lui envoyer des photos de Mathilde, mais il ne répond jamais.

Depuis qu'il est parti, c'est moi qui sors Bestiau presque tous les matins avant l'école. C'est pas toujours facile, parce que c'est le chien le plus désobéissant de la planète. Il tire tellement sur sa laisse qu'il m'entraîne de force avec lui. Il pourrait courir le marathon pendant des heures sans jamais s'arrêter. Il adore mettre ses pattes sur mes épaules et me lécher le visage. C'est rien qu'un gros bébé affectueux.

Ce matin, j'ai encore vu Jamie, il marchait derrière moi sur le chemin de l'école. On ne s'est jamais reparlé depuis la fois où j'ai tant pleuré. Je monte donc la côte à pic qui mène à la rue Saint-Jean, je bifurque en direction de l'école, Jamie me suit de loin, je fais semblant que je ne remarque rien. C'est idiot, mais c'est comme ça chaque matin, jamais il ne m'importune, on dirait une espèce de rôdeur, de détective ou peut-être de garde du corps.

Et toi, malgré ton silence, est-ce que tu penses à nous en quadrillant les ruelles sinistres d'un village aux portes closes, ton fusil dans les bras ? Est-ce que la guerre t'occupe entièrement ? Est-ce qu'on existe encore pour toi ?

Oui, j'ai lu le mot que tu m'as laissé. Tu y parles d'un camp de réfugiés, des nomades qui y vivent dans des tentes fabriquées avec de vieilles couvertures cousues ensemble. Tu me parles d'une petite fille aux yeux verts, gardienne de trois chèvres et d'un mouton, qui s'est blessée à la jambe, des soins que vous lui avez prodigués et du collier que son grand-père t'a donné de force en guise de remerciement. Tu ajoutes que tu ne sais plus rien d'eux, que les nomades vont et viennent à leur guise, et que la petite, le vieil homme et leurs animaux ont disparu. Tu sembles inquiet pour eux.

Et tu ajoutes, à la fin de ton message : « Tu crois que je vous ai abandonnés, n'est-ce pas ? Ce n'est pas vrai, Laurence. Je penserai à vous trois chaque jour, vous êtes ma raison de vivre. Mais… Il fallait que j'aille une dernière fois en pays de guerre. Je suis désolé. C'est comme ça. Tu crois aussi que je suis devenu fou. Peut-être as-tu raison. S'il te plaît, ma grande, prends bien soin des petits. »

Ce que tu ne sais pas, Nathan, c'est que le collier que ce grand-père t'a donné est cassé et qu'une autre sorte de guerre se répand dans notre maison. Non, je n'ai pas giflé Luka à nouveau. Jamais plus. Je me le suis juré. C'est Karine qui l'a fait. Elle l'a frappé à la volée, pour une peccadille, et Luka s'est enfui dans sa chambre, sa main sur sa joue brûlante. Depuis, elle ne desserre plus les dents et ses yeux laissent filtrer une lumière noire.

J'ai couru derrière Dany en sortant de l'école et je lui ai lancé :

– Tu veux revenir avec moi au parc ?

Il m'a regardé de travers :

– C'est quoi la marque sur ta joue ?

– Rien. Je veux me battre avec toi.

– Comme ça, t'es tanné de faire semblant ?

– Mon père est reparti à la guerre.

– Pis ?

– Je sais pas. Je veux faire comme lui. Me battre.

– Je t'ai jamais cogné pour vrai, mais si on y retourne, ça va faire mal.

Je rentrais avec Mathilde endormie dans sa poussette, mon sac à dos arrimé aux épaules. J'avais acheté des macaronis et du fromage à l'épicerie, il faisait froid et noir, le soleil était tombé d'un coup, le vent du nord s'engouffrait dans les rues étroites.

Je descendais la côte à pic vers chez nous, je retenais solidement la poussette de mes deux bras et soudain je me suis mise à déraper. Maudite côte ! J'ai freiné de toutes mes forces, mais ça glissait toujours sous mes bottes, les cols bleus n'avaient répandu ni sable ni sel sur le trottoir glacé, je ne pouvais plus arrêter. Devant moi, à quelques pas, la rue transversale et son trafic de fin d'après-midi.

Une poigne de fer m'a saisi le bras. Le trottoir a cessé de se dérober sous mes pieds, la poussette s'est immobilisée. Nous sommes restés au coin de la rue une bonne minute sans bouger, le temps que mon cœur affolé ralentisse. Mathilde dormait toujours.

– Merci Jamie, j'ai dit. Tu n'as donc plus peur de mes larmes ?

Aujourd'hui, c'est le dernier jour de l'école avant les vacances de Noël et, à quatre heures, je suis retourné au parc avec Dany. Il était tombé une neige collante. On a joué à se tuer l'un l'autre, comme les autres fois, avec nos fusils d'assaut imaginaires. Nos doudounes sont rapidement devenues toutes mouillées et pleines d'accrocs.

Et puis, on est montés une dernière fois sur la colline. Dany m'a regardé d'une drôle de manière, j'ai compris que le temps était venu. On a abandonné nos fusils imaginaires, et on a commencé à se frapper avec les poings. On ne savait plus qui était le méchant et qui était le bon, on était les deux, je crois. On a roulé ensemble jusqu'en bas et on s'est arrêtés seulement quand du sang a coulé, moi de la lèvre, lui du nez.

— Pourquoi il est en prison, ton père ?

— Il a tué quelqu'un.

— Mon père aussi.

Je ne sais pas ce qui m'a pris, mais quand Karine nous a annoncé que Valérie et ses deux petits garçons allaient venir passer le réveillon chez nous, je suis sortie de ma torpeur. J'ai couru chez le bijoutier de la rue Saint-Jean, il a trouvé comment remonter le collier d'argent sur une corde neuve, qu'il a enduite de cire. Moi et Luka on a acheté des cadeaux surprises pour Mathilde et les orphelins avec notre argent de poche.

Cet après-midi, j'ai proposé à Jamie de venir à la maison. Il nous a offert son aide pour installer le sapin et le décorer de boules, de glaçons et d'ampoules de toutes les couleurs. Bestiau voulait absolument attraper et mordiller toutes les décorations, alors on a travaillé fort à l'empêcher de faire trop de sottises. Quand on a allumé les lumières multicolores, Mathilde est restée muette d'étonnement, puis elle a souri, en extase.

Même Karine a desserré les lèvres une fois ou deux et elle s'est mise à cuisiner des tourtières. Elle a même acheté à la pâtisserie de la rue Saint-Jean une bûche recouverte de chocolat.

En attendant la visite, je fais le grand ménage dans ma chambre pendant que Luka tient Mathilde dans ses bras afin qu'elle puisse toucher du doigt chacune des ampoules scintillantes. Bestiau les suit et renifle avec passion tout ce qui est accroché aux branches de l'arbre. Je ne sais pas comment ça se fait, mais ce chien adore Luka, et il laisse Mathilde lui tirer la queue et le serrer trop fort sans jamais protester. Je crois qu'on a fini par l'adopter, celui-là.

As-tu reçu notre colis, Nathan ? Et nos courriels ? Auras-tu droit pour Noël à une vraie bière, à un repas de dinde et sauce canneberge dans la grande cafétéria de KAF ? Ou es-tu caché au milieu de nulle part, aux aguets derrière un muret de pierre ? Tu ne donnes aucune nouvelle. Nous n'existons plus pour toi. La guerre est plus forte que nous.

Tard dans la nuit, bien après la distribution des cadeaux, les mères ont continué à boire du vin rouge au salon, leurs yeux brillaient, elles riaient très fort. Les garçons orphelins bâillaient et Mathilde s'était endormie avec Bestiau, sous le sapin. Laurence a dit : «Venez, je vais vous raconter des histoires avant de dormir.» On l'a suivie sans protester.

Dans sa chambre, une surprise nous attendait. Elle avait installé par terre des coussins, des matelas de camping et des sacs de couchage. Elle avait jeté sur l'abat-jour de la lampe un foulard orange, et une lumière douce éclairait la pièce. Une pile de livres attendait sur sa commode. Elle a mis le collier que papa lui a donné et qui vient de là-bas.

On s'est tassés les uns contre les autres dans les sacs de couchage, et Bestiau s'est faufilé entre les deux petits garçons de Kevin. Laurence a déposé Mathilde sur son lit, s'est assise à côté d'elle. Ensuite, ma grande sœur nous a dit que pendant la nuit de Noël, sa chambre servait de camp de réfugiés pour les enfants orphelins. Elle a touché du doigt son collier comme on fait avec un porte-bonheur. Elle a ouvert un livre et a commencé à lire avec une voix que je ne lui connaissais pas. Non, je me rappelle qu'une nuit, elle avait eu cette voix-là, quand j'avais eu si peur pour papa.

Elle a lu l'histoire d'une petite souris que ses parents avaient déposée dans un panier sur l'eau. Le panier dérivait loin de leur pays en guerre. Et d'autres récits avec des bébés animaux et des gestes tendres. Je suis un peu trop vieux pour ces histoires maintenant que je me bats pour de vrai avec Dany, mais j'aimais ça quand même, parce qu'on était bien au chaud dans les sacs de couchage et que j'étais fatigué. Et puis, elle a lu *Chien Bleu*. À la fin, quand elle a fermé l'album, elle a dit aux fils de Kevin : «Votre père sera toujours à vos côtés.»

Après je ne sais plus, parce que je me suis endormi.

Le matin de Noël, quand je me suis réveillée, toute la smala dormait encore dans ma chambre. Les trois garçons avaient des visages calmes, leurs corps étaient détendus. Je me sentais étrangement bien. Quelque chose d'heureux nous était arrivé.

Je me suis levée doucement, j'ai pris Mathilde dans mes bras, elle était toute chaude et lourde de sommeil. Bestiau a ouvert un œil, l'a refermé, et je suis allée vers la cuisine pour faire chauffer du lait. Au salon, Karine et Valérie parlaient en prenant un café noir. J'ai entendu des bribes de leur conversation. Je ne l'ai pas voulu, je n'ai pas tendu l'oreille, c'est juste qu'elles n'ont pas senti ma présence.

– Tu te rappelles, au retour de Bosnie, comme ils étaient démolis tous les deux ? murmurait Karine. Laurence venait de naître, Nathan ne voulait plus partir en mission. Il répétait : «Cette vie-là, je n'en veux plus.»

J'ai quand même attendu de longues années avant qu'il quitte l'armée et devienne réserviste.

— Kevin m'avait dit la même chose, a poursuivi Valérie d'une voix frêle, mais il n'a jamais quitté les Forces.

Dans la cuisine, je tenais une Mathilde à moitié endormie, le pouce enfoncé dans la bouche. Le lait était chaud. J'ai jeté un coup d'œil au salon avant de retourner à la chambre et j'ai vu que Valérie pleurait en silence, que son amie l'avait prise dans ses bras et la berçait. Puis, comme si elle était dans un rêve éveillé, Karine a repris la parole.

— Nathan m'avait promis de ne plus jamais partir en mission, mais il a rompu sa promesse. Jamais je n'aurais mis au monde un dernier enfant si j'avais su. J'aurais choisi l'avortement. Il m'a trahie.

J'ai serré Mathilde contre mon cœur. Au salon, les bras de ma mère tenaient Valérie, mais ses yeux restaient secs. Elle a repris :

— Je ne ressens plus rien pour mes enfants. Comment ça se fait, Valérie ? Je suis devenue une espèce de morte vivante. Je les vois de loin, par le petit bout de la lorgnette, ils bougent comme des automates aux gestes saccadés, leurs voix semblent métalliques. Des fois, je ne peux plus les supporter.

Je me suis hâtée vers ma chambre refuge, à l'abri de la froide, de l'inhumaine Karine. Dans le fond, Nathan, je savais tout ça. Ça écorche quand même.

On a reçu un colis de papa, trois jours après Noël. Encore des petits tapis en poil de chameau, des châles, des foulards, des verres pour le thé, des objets de nomades. Pour moi, un béret de soldat et un gilet pare-balles trop grand. Il était donc de passage à KAF, là où des soldats de tous les pays transitent en attendant de partir en convoi vers un camp avancé. Il paraît que la base est plantée au milieu d'un champ de sable et de roche, avec ses rangées de tentes et ses bâtiments préfabriqués. Tout autour, des barbelés.

J'aurais aimé que Laurence reste pour toujours la grande sœur de la nuit de Noël, mais non. Elle a réquisitionné les quatre tapis et les trois châles pour sa chambre. Elle a retrouvé ses yeux mauvais de petit *boss* et m'a ordonné de m'occuper de Bestiau tous les matins et tous les soirs, sinon… Sinon, il retournera au chenil, je sais. J'ai hâte de revoir Dany.

Bon. Notre mère ne nous aime pas. La belle affaire. On s'en fout. Je suis capable de prendre soin de Mathilde toute seule si elle n'en veut plus, et Luka accepte maintenant de s'occuper de son chien de temps en temps. Qu'est-ce que ça change qu'elle l'ait dit tout haut? Rien. En attendant, j'ai suspendu les châles au plafond de ma chambre, comme une voûte souple et chamarrée. J'ai disposé tous les tapis sur le sol.

Jamie est venu souper avec son frère un soir où Karine aidait Valérie à mettre de côté les vêtements de Kevin pour les donner à un organisme de charité. Ce Jonathan, celui qui veut faire comme toi dans la vie, vient d'avoir dix-huit ans, et il s'est engagé dans les Forces. Depuis qu'il a commencé l'entraînement, il ressemble à un paon vaniteux et arrogant qui fait la roue avec sa queue turquoise.

Hier après-midi, on est allés tous ensemble se promener sur les Plaines. J'avais déposé notre Mathilde tout emmitouflée dans son petit traîneau de bois, Jamie le tirait derrière lui, pendant que Jonathan tentait sans succès d'enseigner quelques trucs à Luka pour se faire obéir de son chien. Et puis j'ai proposé une bataille de balles de neige, moi, Luka et Bestiau contre les deux frères, et on a tellement ri qu'on en avait mal aux côtes. Pendant un moment, j'ai eu l'impression que tu étais parmi nous, Nathan.

Demain, Karine gardera Mathilde et Bestiau à la maison. «Les vacances sont presque terminées, a-t-elle dit, profites-en, sors avec tes nouveaux amis.»

J'ai insisté pour que Laurence, Jamie et son frère Jonathan, qui est en permission, m'emmènent avec eux au Musée de la guerre. Laurence a grogné un peu, le musée est loin de chez nous, dans une autre ville, ça prend toute la journée pour y aller et en revenir, mais elle a finalement accepté. Pendant les cinq heures de route, j'étais assis à côté de Jonathan qui conduisait comme un *cowboy*, vite, serré. Il a rasé ses cheveux si court qu'il en est devenu chauve. Les deux autres se parlaient à l'arrière.

J'aimerais ça partir avec Jonathan, retrouver papa. Mais il ne part pas tout de suite en mission. Son entraînement va durer une année. Ensuite, il ne sera qu'un simple soldat qui obéit aux ordres de ses supérieurs. Plus tard, si tout va bien, il deviendra caporal. Il donnera des ordres à son tour.

D'après Jonathan, il paraît que ça pue, les camps militaires là-bas. Que les rations sont dégueulasses. Il paraît que ceux qui travaillent à KAF et ne vont jamais dans les camps avancés sont des planqués. Lui, il veut faire comme papa, sur le terrain, patrouilleur. Ou alors artilleur, pour tuer le plus d'insurgés possible. Mais je pense qu'il faut être certain qu'ils sont vraiment méchants avant de tirer. Comment on fait pour en être sûr ?

Quand on est arrivés au musée, j'ai vu que le bâtiment était construit en béton épais et qu'il ressemblait à un *bunker*. À l'intérieur, on s'est tout de suite dirigés vers l'exposition spéciale sur les troupes en Afghanistan. Nous avons lu sur les murs des récits sur les *boys*, tous braves, héroïques, comme papa. Nous avons regardé des vidéos. Un soldat trouve le cadavre d'une petite fille dans un canal, il pleure. Un soldat perd ses jambes, il garde le moral.

Derrière moi, les grands discutaient, le ton montait.

— Rien que de la propagande, cette expo, affirmait Laurence en fixant Jonathan, c'est comme leur pub à la télé. Qu'est-ce que tu vas faire si tu perds tes deux jambes, épais?

— Je ne perdrai pas mes jambes, je veux juste être fier de moi, tu peux pas comprendre ça? Je ne suis pas aussi débile que tu penses!

Pendant que Jamie essayait de les calmer, je me suis éloigné. Plus loin, j'ai aperçu la carcasse d'un blindé tout amoché qui avait sauté sur une mine. Je me suis penché et j'ai rampé dessous. J'ai bien vu que ce véhicule n'était pas assez solide, le plancher de métal pas assez épais. C'est ridicule. Personne ne peut survivre à une bombe artisanale là-dedans.

Jonathan s'est approché, s'est accroupi près de moi. «T'inquiète pas, Luka. C'est un vieux modèle. Ils les font plus solides maintenant.»

Je n'ai pas répondu. Je sais que les bombes sont plus puissantes qu'avant.

— Ta sœur est folle, a-t-il ajouté. Je ne sais pas ce que Jamie lui trouve.

— Jamie, il veut aller à la guerre, lui aussi ?

— Jamais ! Il n'a pas de couilles.

— Les insurgés, ils en ont des couilles ?

— Ben oui, sinon il n'y aurait pas de guerre !

— La guerre, c'est une affaire de couilles alors.

— Ouais, on peut dire ça.

Aujourd'hui, premier jour d'école, Karine restait à la maison, et je suis rentrée plus tôt que d'habitude. J'enlevais mes bottes, quand, venant de la cuisine, j'ai entendu des pleurs et la voix de Karine qui grondait : «Arrête, arrête, arrête !» J'entendais aussi ses pas qui allaient et venaient sur le plancher de céramique.

J'ai accroché mon manteau, me suis dirigée vers la cuisine. Mathilde était assise par terre et sanglotait. Soudain, cela s'est passé si vite, Nathan, j'ai vu Karine attraper Mathilde à bras le corps, la secouer, l'asseoir rudement dans la chaise haute. Elle a rabattu la tablette, répandu dessus une poignée de raisins secs.

— Étouffe-toi avec ! Ferme ta gueule !

Je fonçais déjà sur elle.

— Non ! toi, ferme ta gueule ! À partir de maintenant, c'est moi qui m'occupe de Mathilde.

Oui, Nathan, la guerre est partout, pas juste là où tu es, pas juste avec des AC-47, des tirs de roquettes et des engins explosifs improvisés. Là où tu es, des enfants sautent sur des mines. Ici, des bébés maltraités se font casser les os. Dans cette maison, non seulement nous n'avons pas de parents, mais nous avons maintenant une ennemie.

Je ne suis pas inquiète pour Mathilde. J'ai transporté son petit lit à barreaux dans ma chambre. Ma commode sert de table à langer. Elle est soit à la garderie, soit avec moi. Chaque après-midi, quand nous revenons de la garderie, je change la couche de ma petite sœur, je lui chatouille le ventre, elle babille, on échange des bisous et des câlins. Elle va bien, Nathan. Mais Luka... Luka se désagrège. Ses cahiers scolaires dorment, fripés au fond de son sac. J'ai signé son bulletin en imitant la signature de Karine. Je crois qu'on lui accorde les notes de passage par pitié. Pas une journée sans de nouveaux bleus, des égratignures. Hier, il boitait. Je ne lui ai pas raconté l'épisode dans la cuisine. Il n'en saura jamais rien, ni Jamie, ni personne, c'est un secret qui ne regarde que moi.

Karine, je ne veux même plus lui parler. L'autre jour, elle m'a annoncé, avec une voix douce en plus, comme si rien de grave ne s'était passé : « Je me sens mieux, je peux prendre soin de Mathilde, occupe-toi de tes études. » Je l'ai envoyée promener. Alors, chaque soir cette semaine, elle prend la fourgonnette et va aider Valérie à préparer son déménagement en ville. Non, je ne lui adresse plus la parole et quand je la croise, je détourne les yeux. Sinon, la rage pourrait revenir, et l'envie de la frapper, tu comprends ? Pas juste en pensée, en vrai.

Tu sais pourquoi je ne l'ai pas dénoncée à la DPJ ? Parce qu'il n'y a personne de majeur dans cette maison, et que nous, tes enfants, irions en famille d'accueil, ou je ne sais quoi, si on ouvrait une enquête. Nous serions séparés.

Je croise Simon tous les jours à l'école. Il baisse les yeux quand il me voit. C'est un gentil toutou qui obéit tout le temps à sa maman, à la maîtresse d'école, au brigadier scolaire. Un pissou.

Moi, je ne joue plus à me battre, je me bats. De toutes mes forces.

Pourtant, je me bats seulement avec Dany. Les autres garçons, je m'en fiche. Je sais qu'il n'est pas si méchant que ça, Dany. Il est triste, et la tristesse, ça le met en rage. Et son père est un homme mauvais, il me l'a dit, aussi violent que le pire des terroristes, qui frappe les plus faibles et qui fait peur à tout le monde. Dany est content que son père soit en prison.

Avec lui, je me bats seulement sur la colline parce que c'est là que j'allais glisser avec papa. Je pense toujours à lui quand l'esprit de guerre monte en moi. Et puis, une fois qu'on entre dans le tourbillon de la bataille et qu'on devient féroces, je ne pense plus à rien.

Après le combat, je me sens un peu mou, tout tranquille. Je peux rentrer à la maison, jouer avec Bestiau, aimer Mathilde.

Mais... Ce n'est jamais fini, ça revient toujours l'envie de cogner, et il faut recommencer.

Tantôt, juste avant le souper, le directeur de l'école primaire a téléphoné, il voulait parler à Karine. Alerte rouge! Après une demi-seconde d'hésitation, j'ai répondu que c'était moi. Il m'a informée que Luka se tient avec un jeune voyou, le genre de garçon qui serait plus à sa place dans un centre pour jeunes contrevenants qu'à l'école publique, que les résultats scolaires de mon fils frôlent la catastrophe et qu'il voulait me rencontrer.

J'ai répondu du mieux que je pouvais, non, je ne peux pas cette semaine, je vous rappelle sans faute pour un rendez-vous. Et j'ai parlé de toi, Nathan, combien c'est difficile à la maison depuis ton départ. J'ai ajouté, avec une voix d'adulte désolée : « Merci d'avoir appelé, monsieur le directeur, je verrai à corriger la situation, oui, absolument. »

Samedi après-midi, il neigeait à gros flocons et nous sommes montés sur les Plaines avec Jamie. Laurence m'a laissé tirer Mathilde dans son traîneau de bois. Les grands marchaient lentement derrière, en grande conversation, comme s'ils complotaient. J'ai enlevé sa laisse à Bestiau qui s'est mis à courir après les flocons, revenait vers moi, repartait en chasse sur ses longues pattes. Il est devenu très grand et très fort tout d'un coup, celui-là. Mathilde, dans son habit de neige rose, gazouillait. Laurence m'a crié : « Sois prudent, on te rejoint dans deux minutes ! » Je suis toujours prudent avec Mathilde. Toujours.

C'est un peu plus loin que c'est arrivé. Une vieille dame marchait en sens inverse. Quand elle nous a croisés et a vu Mathilde, elle s'est exclamée : « Comme tu es jolie ! » et s'est penchée sur le traîneau. Bestiau a surgi de nulle part, a sauté sur elle et l'a fait tomber à la renverse. Les deux pattes d'en avant sur ses épaules, babines retroussées, il montrait les dents et grognait pendant que je tirais sur son collier de toutes mes forces.

Bestiau s'est calmé d'un coup, a lâché sa proie, et j'ai aidé la vieille dame à se relever. Elle était très pâle. Elle tremblait.

— Ton chien est dangereux, a-t-elle marmonné. Je vais porter plainte.

— Bestiau voulait seulement protéger ma petite sœur! Il ne vous a pas mordue! Vous vous êtes approchée trop vite!

— Il est dangereux, a-t-elle répété. Il faut le faire piquer.

— Non! Je vais lui mettre une muselière!

Elle a marmonné je sais pas quoi, et elle a continué son chemin.

C'est quoi la fine ligne rouge qui sépare un soldat d'un tueur? As-tu du plaisir à tuer? Est-ce que tu ressens de l'excitation en tirant sur quelqu'un? Est-ce que ça te donne le droit de tirer parce qu'un des leurs a tué ton frère d'armes?

Et moi, est-ce que je ressemble à Karine, elle qui a traversé cette fine ligne en secouant son bébé? Tu sais quoi, Nathan, depuis ton départ, je suis de mauvaise humeur comme elle. Je manque de tendresse envers Luka, comme elle. Parfois, je sens ma dureté cachée pas très loin sous la peau. Et cette colère qui m'étouffe.

Est-ce qu'imaginer fracasser contre un mur sa petite sœur est aussi pire que de la secouer pour vrai ? Est-ce que moi aussi je pourrais lui faire du mal ? Est-ce que moi aussi, je pourrais me transformer en n'importe quel assassin ?

Est-ce que la guerre est partout, en nous tous, tout le temps ?

Et Mathilde, tantôt, à la garderie, je l'ai vue mordre un plus petit qu'elle pour une histoire de jouet.

Personne n'est donc à l'abri du mal et de la violence ?

Aujourd'hui sur la colline, on a laissé tomber nos sacs, et tout de suite on s'est empoignés l'un l'autre, on a roulé jusqu'en bas, on s'est relevés, on a donné des coups de poing fort, le plus fort possible, et ça faisait mal. Dany s'est frappé la tête en tombant, mais il a aussitôt bondi sur moi. Je lui ai donné un autre coup de poing, et lui m'en a flanqué un dans le ventre. On rugissait, on n'allait plus arrêter jamais, on allait combattre jusqu'à la mort.

Et puis des cris, des bras qui nous ont saisis, Jamie et Laurence tentaient de nous séparer et nous, on voulait pas, on voulait cogner et cogner et ne plus jamais arrêter. Plus de peurs, plus rien, on était des chiens sauvages, des loups, des fauves, on se débattait.

Jamie a ceinturé Dany par l'arrière, Laurence m'a attrapé les poignets, ses mains étaient des tenailles, j'ai hurlé :

– Tu comprends rien ! Quand je me bats, c'est pour papa ! Si je tue un insurgé, papa ne meurt pas !

Nathan, si tu avais vu les garçons se battre ! Deux bêtes enragées, soudées l'une à l'autre. On a couru vers eux, Jamie plus vite que moi encore. Dès qu'on les a immobilisés, ils se sont calmés, et j'ai compris qu'ils ne se détestent pas, au contraire, ils sont amis. Mais ils se battaient comme s'ils voulaient se détruire.

Nous avons exigé qu'ils nous accompagnent à la garderie chercher Mathilde. Les deux éclopés nous ont suivis en silence. Une fois à la maison, Jamie a examiné leurs bosses et leurs égratignures, les a fourrés sous la douche, les deux ensemble, pendant que je jetais leurs vêtements dans la machine à laver et que je m'occupais de Mathilde. Heureusement, Karine rentrait tard, on avait du temps devant nous. J'ai ordonné à Dany : «Appelle ta mère, tu couches ici ce soir.»

On a essayé de parler avec eux, tenté de s'expliquer cette folie qui les prend chaque soir après l'école. Ils semblaient perdus, sans mots, et je n'ai rien compris à leur désir de s'entretuer, sinon que la violence rôde autour de nous, en nous, explose n'importe quand et que ça suffit. Finalement, j'ai dit, le plus doucement possible :

— Tu n'aides pas notre père, Luka ; tes bagarres, ça ne change rien à sa guerre. Mais... Je devine que tu ne penses qu'à ça, que tu t'inquiètes, que ça te met en colère. Moi aussi, tu sais ? Et toi, Dany, je ne te connais pas, je ne sais rien de toi. Je ne sais pas comment vous aider tous les deux.

— Tu peux nous raconter des histoires dans ta chambre, a chuchoté Luka.

De surprise, je suis restée muette pendant que Jamie prenait la parole à son tour et leur expliquait qu'on peut se battre sans danger quand il y a des règles, et que la personne qui lui a appris cela, c'est son prof d'éducation physique. Toi, Nathan.

— Si vous avez trop d'énergie, trop de rage au ventre, il faut trouver une manière de la faire sortir autrement. Pourquoi ne pas suivre des leçons de judo, par exemple ?

— De boxe, a marmonné Dany.

— Euh... bon, on peut essayer d'arranger ça. Et toi, Luka ?

— Je sais pas.

On leur a demandé de cesser les batailles après l'école. Ils ont promis du bout des lèvres, et franchement, je me demande comment Jamie pourra se débrouiller pour trouver des leçons de boxe pour un délinquant de neuf ans. On était à bout d'arguments, on ne savait pas quoi faire d'autre, et Jamie est allé chercher une pizza gigantesque, extra salami. Il en a profité pour sortir le chien.

Nos pointes de pizza à la main, on a écouté tous ensemble les infos de 18 heures. On a appris qu'une vaste offensive contre les insurgés, regroupés au sud du pays, avait commencé. On a tout de suite deviné que tu étais là, avec tes hommes et des milliers d'autres. On a vu des soldats avancer pas à pas dans une ville avec des détecteurs de métal et des chiens renifleurs, à la recherche de mines et d'engins explosifs enfouis un peu partout.

— Regardez, a lancé Luka, le chien renifleur ressemble à Bestiau !

Après le départ de Jamie, j'ai dit aux deux voyous :

— On va aller dans ma chambre. Je rouvre le camp de réfugiés. On dort là. Je vous lis une histoire.

J'ai vu les yeux de Luka s'allumer.

— Comme à Noël ?

— Oui.

Et c'est exactement ce qu'on a fait, Nathan.

Au lever du jour, Nathan sort de sa tente et rejoint l'aumônier, assis dehors, plus loin, près des sacs de sable. Le camp domine une vallée aride. D'ici, on peut voir l'ennemi venir de loin, comme des insectes noirs sur le sable et les cailloux.

— Je ne sais plus pourquoi je suis ici, padre. À quoi on sert ? Pourquoi on risque sa vie ? Vous le savez, vous ?

— Elle est belle, cette vallée, n'est-ce pas, murmure l'aumônier, si calme, si austère... Je ne sais rien des desseins de Dieu, je sais seulement qu'au milieu de l'horreur, parfois, une petite lueur tremble. On appelle cela l'espoir.

— Quand j'étais en Bosnie et que j'étais Casque bleu, j'ai vu des gens se faire abattre devant moi. Je ne pouvais pas intervenir. J'ai pensé alors que rien n'est pire que l'impuissance. Cette fois-ci, on tire, on pourchasse, on tue. On essaie de croire que c'est une guerre juste, que tous les insurgés sont des terroristes. Mais nous tuons des civils par erreur. La grande majorité des enfants ne vont toujours pas à l'école, et la peur étouffe les femmes.

— Je crois en cette lueur.

— La vérité, c'est que je tue des hommes et que je prive leurs enfants d'un père. Je ne suis plus capable de parler à mes propres enfants, ni de leur écrire. J'ai peur de leur faire voir ce que je vois, ressentir ce que je ressens. J'ai peur de les contaminer.

Depuis la fameuse bataille, on a rendez-vous tous les jours après l'école avec Jamie. On n'a pas le choix. Il nous a dit : « Ou vous venez courir avec moi, ou je parle au directeur de l'école de vos batailles sur la colline. Toi, Dany, tu sais ce qui te pend au bout du nez. »

Alors on va déposer nos sacs à la maison, puis on va courir sur les Plaines avec lui et Bestiau. Il est drôle, Jamie, il ne court pas aussi bien que papa, et Dany peut le battre au sprint n'importe quand. Celui d'entre nous qui est le plus heureux, c'est Bestiau, qui tire sur sa laisse comme un déchaîné. Je lui ai acheté une muselière, mais il ne veut pas la porter. De toute façon, quand il a montré les dents, c'était pour protéger Mathilde, et je ne croiserai plus jamais sur mon chemin cette vieille sorcière qui voulait faire tuer mon chien.

Jamie cherche toujours un gymnase pour Dany, où il pourra cogner sur des ballons et des sacs de sable, sauter à la corde, frapper sur quelqu'un mais pas n'importe comment. « Dany a un surplus de testostérone, a dit Jamie, comme Jonathan. »

— Et toi, Luka, m'a-t-il demandé pour la millième fois, as-tu réfléchi à ce que tu aimerais faire pour dépenser ton énergie de combattant ?

— Je veux suivre des cours de dressage avec Bestiau, j'ai dit.

Notre monde est obscur. Notre vie est sens dessus dessous. Ni moi ni Jamie ne savons vraiment quoi inventer pour aider les deux garçons, excepté leur dire mange, c'est bon, cours fort pour évacuer toute cette énergie qui a mal tourné, ici tu es en sécurité, je vais te raconter une histoire.

À la maison, on écoute moins la télé. On a peur de voir encore des cercueils et le visage fermé des militaires qui les portent vers le ventre de l'avion. On ne veut pas voir ça. Mais chaque soir maintenant, moi, Luka, Mathilde et Bestiau, on s'installe dans ma chambre. On s'assoit en cercle sur les tapis de prière. Chaque fois, je porte le collier d'argent et je dépose sur la lampe un foulard aux tons de rose orangé et de rouge. Dans la lumière tremblante, ma chambre se transforme en un campement de nomades, un refuge pour sans-abri, un orphelinat, une cabane à rêves.

Luka prend Mathilde sur ses genoux et, quand elle s'endort, on la dépose dans son petit lit à barreaux. Je lis des albums aux couleurs pastel, que je choisis méticuleusement à la bibliothèque. Pour l'instant, je n'ai qu'un seul critère : la douceur. Il y a assez de violence qui rôde autour, ici on prend congé. La lampe remplace le feu de camp. Je lis, je lis. On redevient calmes.

Dany reste à souper et à dormir un soir sur deux chez nous, je crois que sa mère s'en fout. Quand il dort, ses poings se relâchent et, sous son armure, je découvre un petit garçon mal aimé.

Jamie m'a accompagné à mon premier cours de dressage. Le maître-chien m'a d'abord demandé de marcher avec Bestiau. Comme d'habitude, Bestiau a tiré sur sa laisse et je l'ai suivi.

— Ce chien est mal élevé, il a dit. Il a pris de très mauvaises habitudes. Il marche devant toi. Il tire sur la laisse. Comment il se comporte à la maison ?

— Il gruge toutes les chaussettes qui traînent. Il mâchouille mes bottes d'hiver. Il aboie pour avoir sa nourriture. Il me saute dessus quand je rentre de l'école, pour me souhaiter la bienvenue.

— Tu laisses ton chien te mener par le bout du nez. Il se conduit comme s'il était le maître de la maison. Il a déjà mordu quelqu'un ?

— Non ! Jamais !

— Montré les dents, grogné ?

— Heu… Oui, une fois. Une inconnue s'est approchée trop près de Mathilde.

— Qui est Mathilde ?

— Ma petite sœur.

— Quel âge elle a ?

— Seize mois.

— Écoute-moi bien, Luka. Non seulement un berger allemand est un chien d'une race puissante, mais il est aussi très possessif. Si tu n'apprends pas à contrôler Bestiau, il peut devenir vraiment dangereux. Même pour ta petite sœur.

— Comme le pitbull enragé qui m'a mordu quand j'étais petit?

Le dresseur a hoché la tête et s'est tourné vers Jamie.

— Nous avons beaucoup de travail à faire. D'abord, la muselière. Je vous montre à tous les deux comment vous y prendre pour la lui passer. Ce chien ne sort plus de la maison sans muselière, c'est compris?

L'hiver commence à lâcher prise. Dans notre quartier, les longues stalactites de glace qui pendent du rebord des toits gouttent sur le trottoir. J'ai changé, Nathan, j'ai tellement changé, si tu savais. Je me lève à six heures tous les matins pour m'occuper de Mathilde, et Jamie aide Luka avec ses travaux scolaires tous les après-midi après l'école. Avec son aide, je vais y arriver.

Peut-être que je vais couler mon année, je frôle maintenant tout juste la note de passage dans toutes les matières, tu ne me reconnaîtrais pas. Les profs me font de gros yeux attristés. Cette fille si brillante! Cette fille si incroyablement intelligente, studieuse, sérieuse. Portée disparue.

Nous avons reçu un bref message de toi, le premier depuis ta permission. Tu écris que tu es désolé, que tu ne désires qu'une chose, revenir vers nous, mais que la mission va durer un mois de plus et que tu n'as pas le choix. Mon serpent s'est immédiatement réveillé : encore six longues semaines avant ton retour.

Karine ? Elle veille toujours à remplir le congélateur de mets surgelés, range l'appartement, rentre tard le soir et part tôt le matin. Elle a payé sans protester les cours de dressage en marmonnant que c'est tant mieux si ce chien arrête de tout détruire dans la maison. Elle est devenue aussi maigre qu'une anorexique.

Dimanche après-midi, pendant la sieste de Mathilde, les deux grands parlaient au salon. Ils ne m'ont pas entendu quand je me suis approché du coin cuisine. Jamie disait qu'il aimait ça courir avec moi et Dany, qu'il était prêt à jouer les grands frères un mois de plus sans problème. Laurence, assise près de lui sur le divan, l'écoutait en souriant. Puis Jamie lui a demandé pourquoi il ne voyait jamais Karine.

— Ta mère est absente presque tous les soirs de la semaine. Est-ce qu'elle travaille même le dimanche ?

Laurence a reculé, le visage crispé.

— Non. Le dimanche, elle va chez Valérie.

— Elle n'emmène jamais Mathilde avec elle?

— Non. Je ne veux pas qu'elle s'en occupe.

— Ayoye! C'est toi qui fais la loi dans cette maison?

— Lâche-moi, Jamie. Arrête avec tes questions.

Jamie s'est tu deux secondes. Il a repris:

— Qu'est-ce qui se passe? Explique-moi!

— Je l'ai vue secouer Mathilde. Elle aurait pu la blesser, la tuer! Elle est folle! Dangereuse!

J'ai fui dans ma chambre. J'ai fermé la porte. Sur *YouTube*, j'ai plongé dans la guerre. Les balles ricochaient sur les murs autour de moi. Les roquettes ennemies sifflaient au-dessus de ma tête.

Je cherche, Nathan, je cherche encore à comprendre. Il n'y a rien de simple, n'est-ce pas? Jonathan, qui se montre parfois plus intelligent que je ne le pensais, m'a parlé l'autre jour d'un terrible génocide. Cette fois-là, les puissances internationales ne sont pas intervenues. Des civils tuaient d'autres civils à coups de machette, y compris les enfants et les bébés. Comment fait-on sans soldats, sans armée, pour arrêter les massacres à l'intérieur d'un pays? On dirait que lorsque la machine de guerre s'emballe, on ne peut plus l'arrêter.

Hier soir, aux nouvelles, j'ai appris que de jeunes Afghanes qui se rendaient à l'école secondaire, des filles de mon âge, ont été brûlées au visage. Les filles ne doivent pas étudier, pensent les insurgés les plus extrémistes. Sur le chemin de l'école, de jeunes hommes leur ont arraché leur burqa bleue et leur ont aspergé le visage de vitriol. J'ai vu à la télé une de ces jeunes filles, son visage marqué à vie.

J'essaie d'imaginer cela : un matin, je monte la côte à pied, je prends le boulevard en direction de la polyvalente, un homme à moto s'approche de moi et me lance une giclée d'acide. Je suis défigurée pour la vie juste parce qu'il pense que les filles doivent rester ignorantes. C'est fou. C'est barbare. C'est inhumain.

Cette fois, Laurence et Jamie m'ont traîné à une manif pour la paix. Je n'avais pas le choix. On s'est mis en route vers la Grande Allée, Mathilde dans son traîneau.

On n'était pas très nombreux, quelques pan-cartes flottaient avec leurs slogans GUERRE À LA GUERRE. Je n'aimais pas trop ça. C'était comme trahir papa qui risque sa vie là-bas.

Mathilde gigotait et poussait des petits cris d'impatience. Je l'ai soulevée, déposée par terre à côté de moi. Elle a agrippé ma main. Dans son habit de neige, elle paraissait plus large que haute et elle trébuchait à chaque nouveau pas.

La foule s'est arrêtée devant une estrade. Un homme parlait dans un micro. «La guerre ne fait qu'augmenter les actions terroristes, disait-il, la violence n'apporte jamais la paix permanente. Notre pays et son armée appuient des chefs de guerre qui font le trafic de la drogue, aussi voyous que les insurgés.» Les manifestants applaudissaient.

Dany aurait dit que la guerre c'est bien, parce qu'on se bat autant qu'on veut sans être puni. Que la paix, c'est bon rien que pour les filles. Moi, je ne sais pas. J'aime papa.

Je serrais fort la main de Mathilde. J'ai pensé à maman, qui a fait mal à ma petite sœur.

Non. La paix n'est pas toujours possible.

Soudain, j'ai eu envie de retrouver la photographie de la petite princesse au visage et à la robe du dimanche barbouillés de crème glacée. En fouillant dans la grande armoire du salon, là où on range nos souvenirs de famille, j'ai fait tomber une grande enveloppe accordéon, le genre d'enveloppe dans laquelle tu rangeais d'habitude les factures ou les déclarations d'impôts. Une lettre pliée en quatre a glissé par terre, suivie de quelques photos. Je me suis accroupie pour les ramasser. Les photos ont attiré mon attention.

Sur la première, un groupe de soldats, des Casques bleus, qui font le signe de la victoire. Ils n'ont pas de fusils d'assaut, juste des vestes pare-balles. Je distingue, à leur ceinture, un étui. Une arme de poing pour leur sécurité, je suppose.

Sur la suivante, des ruines fumantes.

Ensuite un blindé, et toi, Nathan, appuyé dessus. Tu sembles très jeune sur cette photo. Presque aussi jeune que Jonathan.

Plein d'enfants, une dizaine. Des femmes habillées de noir. Elles ne sourient pas. Un muret de pierre. Un village sans hommes, on dirait.

Une route, de la fumée au loin, le devant d'un blindé.

Et puis celle-ci : encore toi, debout, ton casque bleu sur la tête, la main sur l'épaule d'un petit garçon aux jambes maigres. Le garçon, la tête levée vers toi, sourit. Derrière vous deux, une maison de pierre. Je retourne la photographie. Un prénom en lettres carrées. LUKA.

J'ai refermé l'enveloppe. Derrière, au crayon-feutre, c'était écrit BOSNIE.

Qui est ce Luka de Bosnie qui n'est pas mon petit frère ?

Maintenant que Dany va au gymnase trois fois par semaine après l'école, et qu'il s'acharne à tuer un sac de sable, et que moi j'ai appris à passer la muselière à Bestiau, Jamie a cessé de courir avec nous. Quand l'envie de me battre monte en moi, je sors avec mon chien muselé, et on court ensemble jusqu'au bout de nos forces. Ensuite on rentre calmement à la maison et je le nourris.

Le samedi matin, je vais au cours de dressage avec Bestiau et des fois, Dany nous accompagne. Il trouve que j'ai l'air d'un caporal quand je redresse les épaules et bombe le torse en faisant marcher mon chien à côté de moi. «Assis», je dis à Bestiau en tirant légèrement sur la laisse. Il s'assoit, et je caresse sa tête. «Bon chien.» Dany rigole. Il préfère tuer des sacs de sable, c'est sûr.

Nathan, il est minuit. Je suis très fatiguée. Mathilde a attrapé un vilain rhume à la garderie. Ce soir, ses yeux coulaient, son nez aussi, et elle était fiévreuse. Je l'ai prise dans mes bras et lui ai chanté des berceuses jusqu'à ce qu'elle s'endorme, pendant que Jamie aidait Luka et Dany à finir leurs devoirs. Après son départ, j'ai lu aux garçons l'histoire de simples soldats qui allaient à la guerre parce qu'ils avaient faim. Ils savaient qu'ils couraient de grands dangers et qu'ils ne reviendraient probablement pas vivants de cette aventure. Ils étaient pauvres, ne savaient ni lire ni écrire. Mais aller à la guerre leur permettait de manger un repas par jour. Cela se passait pendant une de ces grandes guerres où des millions de personnes mouraient. Ces pauvres hommes étaient de véritables frères d'armes.

Quand les enfants se sont endormis, j'ai éteint la lampe. D'habitude, je tombe dans le sommeil comme une brute. Mais ce soir, avec l'insomnie, la colère monte, une vague qui déferle. Je me mets encore à te haïr.

Tu t'es sauvé, Nathan. Toi, notre grand protecteur, tu nous as abandonnés, tu n'as pas eu le courage de dire à Karine que tu ne l'aimais plus. Et Karine, si tu savais à quel point je la déteste! T'es rien qu'un salaud, Nathan. Le serpent lové dans ma poitrine est un cobra, il se dresse et te crache une giclée de bave empoisonnée au visage.

Tous les soirs, depuis deux semaines, ma grande sœur lit une nouvelle histoire dans sa chambre, Dany dort chez nous de plus en plus souvent, il fait maintenant partie de notre campement presque à plein temps. Laurence exige qu'on soit tous propres, douchés, lavés en arrière des oreilles, dents brossées, en pyjama, et que Bestiau soit aussi calme et soumis qu'un toutou en peluche.

Elle lit des histoires où l'amour est plus fort que tout, où les garçons sont valeureux, les tout-petits protégés, et les grandes sœurs formidables. Les méchants habitent loin de notre territoire, et lorsqu'ils tentent de s'approcher, nous nous dressons et les repoussons. Je porte le béret de soldat et je prête la casquette au castor brodé à Dany. Mathilde n'est que sourires pleins de petites dents, chuchotis et bisous baveux. D'ailleurs, j'ai envoyé à papa une nouvelle photo d'elle tout à l'heure, le genre de photo qu'un papa garde dans sa poche de poitrine comme porte-bonheur.

Depuis que je lui ai parlé de Karine, Jamie me tient parfois la main quand nous nous promenons, et ici, à la maison, lorsque nous regardons les informations à la télé. Il me réconforte, il me calme. Il voit ma force, il voit ma fragilité. Je lui ai raconté, pour la rage. Il me voit toute. Sans lui, je ne sais pas comment je tiendrais le coup. Jamie est le meilleur ami que j'aurais pu imaginer. Et c'est un grand frère fabuleux pour les deux garçons.

Ce soir, c'est la fête. D'abord, on s'est tous réunis dans la chambre de Laurence pour écrire un long courriel à papa sur son ordinateur. Moi, je lui donne des nouvelles des leçons de dressage. Depuis ce matin, Bestiau ne porte plus de muselière. Le maître-chien est très content de nous deux, il m'a dit que si je fais courir mon chien chaque jour afin qu'il dépense son trop-plein d'énergie, et que si je me fais obéir, il restera calme en tout temps. En prime, on envoie à papa des photos de Mathilde et de nous tous en train de faire des grimaces. Laurence et moi, on croit qu'il faut continuer sans relâche à donner de nos nouvelles à papa. Même s'il ne répond pas.

Ensuite ma grande sœur nous a cuisiné des pâtes, on s'est pris un litre de jus de canneberge dans le frigo, on s'est installés par terre sur le tapis du salon, devant la télé. Même Jamie est avec nous ce soir. Laurence a les yeux brillants.

— Elle est pas mal, ta sœur, pour une fille, m'a chuchoté Dany.

— C'est ma sœur d'armes, j'ai dit.

Ce soir, alors que je faisais des pâtes pour la tribu, et que j'avais invité Jamie à manger avec nous, il est venu me retrouver dans le coin cuisine.

— J'ai fini les devoirs avec les garçons. As-tu besoin d'aide, Laurence ?

– Mmm, non. À moins que ça te tente de regarder les pâtes bouillir pendant que je râpe le fromage ?

– Pourquoi pas ? J'adore regarder les pâtes bouillir. C'est tout à fait passionnant.

J'ai souri, lui aussi. On était bien. Luka et Dany étaient complètement absorbés par la télé, au salon. C'est alors qu'il a mis sa main sur ma nuque. Très doucement. Sa paume était brûlante. J'ai continué à râper le fromage. Je respirais à petits coups, ma vue se brouillait. J'ai chuchoté, comme une idiote :

– Est-ce qu'on en a assez ?

Il a retiré la râpe de mes mains, l'a déposée sur le comptoir, je me suis tournée vers lui et… il m'a embrassée sur la bouche. Sa langue a frôlé la mienne, je me suis sentie toute molle, des frissons ont monté jusqu'à la racine de mes cheveux. Je me suis appuyée sur lui pour ne pas tomber. Ses bras m'ont enlacée. Oh ! C'était tellement bon !

– Est-ce que les pâtes sont prêtes ? a crié Luka.

– Ça vient, j'ai dit, d'une voix étranglée.

Voilà ce qui est arrivé ce soir, et je ne parviens pas à m'endormir. J'ai peur, Nathan. C'était trop bon. J'aurais tellement envie de me laisser fondre dans ses bras et de ne plus penser à rien d'autre. À peu près toutes mes ex-copines ont un amoureux, pas toujours le même. Des fois, ça dure quelques jours, et puis elles changent. Elles expérimentent, je crois. Mais j'ai peur, si je me laisse couler dans ses longs bras, de tout oublier, de disparaître. D'abandonner la partie, tu comprends?

Je pense que je dois garder mes forces pour les petits et ce qui me reste d'énergie pour ne pas rater complètement mon année scolaire.

Nathan, aide-moi. Je dois finir ce que j'ai commencé.

Le retour

Cette nuit j'ai rêvé de Jamie. Il me porte dans ses bras, plus rien n'a d'importance sauf, peut-être, le désir ténu d'un long baiser. Soudain, je réalise qu'il veut faire un enfant avec moi. Il le veut très fort. Je me sauve sur une route étroite, pleine de cailloux et je gémis : «Je ne suis pas prête, non, non !» Il me rejoint, je sens son souffle dans mon cou, il veut m'enlacer, je me débats, brusquement des bombes explosent autour de nous et je sais que si je fais un bébé, il mourra.

Je me suis réveillée en pleurant. Je ne comprends pas ce rêve, jamais nous n'avons parlé de bébés, d'ailleurs Jamie a accepté de ne plus m'embrasser jusqu'à ton retour. Mais pas un jour de plus.

Ce n'est pas si désagréable, cette attente. Et ce désir de frôlements, de baisers et de longues caresses est toujours présent entre nous, comme une promesse de bonheur.

Le temps s'est remis en marche. Le soleil reste un peu plus longtemps chaque jour, la neige est presque toute fondue et des perce-neige sortent de terre. Je cours avec Bestiau, matin et soir. J'apporte un *frisbee*, et quand je n'en peux plus de courir, je m'arrête et le lance le plus loin possible. Bestiau file comme une flèche, l'attrape entre ses crocs, revient vers moi, freine à la dernière minute. «Donne!» et mon chien le dépose à mes pieds. «Reste!» et il ne bouge plus.

Mathilde ajoute chaque jour un nouveau mot à son vocabulaire. Elle trottine partout dans la maison et quand elle tombe, Bestiau la pousse doucement avec son museau. Allez! Debout!

Je sais que maman pleure toute seule dans sa chambre. Comme papa pendant sa permission. Je ne sais pas comment m'approcher d'elle. Je ne sais pas si je veux m'approcher.

En classe, ça va un peu mieux. Le directeur a même téléphoné pour annoncer que je m'améliorais, et Laurence l'a remercié très poliment. Ensuite, elle était si heureuse qu'elle m'a embrassé un peu trop fort à mon goût. C'est vrai que Jamie ne me lâche pas d'une semelle avec mes devoirs. Dany est sûr et certain que Jamie est amoureux de ma grande sœur et que s'il nous aide dans nos travaux, c'est juste pour venir la voir à la maison.

Le plus important, c'est que papa a recommencé à nous envoyer des courriels chaque jour. Il nous écrit qu'il compte chaque heure qui reste avant son retour, et qu'il rêve de bercer Mathilde en lui chantant *La poulette grise.* Papa revient dans dix jours.

Après l'école, tantôt, on est allés se promener sur les Plaines. Il faisait doux et Mathilde, dans sa poussette, bredouillait une suite de nouveaux mots. On s'est retrouvés devant la statue de Jeanne d'Arc brandissant son épée, et Jamie m'a dit qu'elle lui fait penser à moi, que je suis une guerrière, à ma façon.

— Mais je n'aime pas la guerre, Jamie, même si je suis souvent en colère, même si j'ai senti très fort la violence rugir en moi. La guerre fait trop de ravages.

— Mais tu es prête à tout pour protéger les enfants.

— C'est vrai.

— Tu sais ce que je crois, Laurence ? Il faut toujours garder notre esprit en éveil, vigilant, des fois choisir de se battre jusqu'au bout, et d'autres fois, non. Et pour ceux qui décident s'il faut déclencher une guerre n'importe où sur la planète, c'est pareil. Arrêter un massacre, oui. Envahir un territoire, non.

— Ne jamais dépasser la fine ligne rouge, alors.

— Qu'est-ce que tu veux dire ?

— Je me suis déjà demandé c'est quoi la fine ligne rouge qui sépare un soldat d'un tueur, une personne ordinaire d'un assassin. Je me suis demandé si j'avais franchi cette ligne.

– L'as-tu franchie ?

– Non. Mais je m'en suis approchée dangereusement. Karine, elle, l'a franchie. Mon père, je ne sais pas... Je suppose que oui.

Dany et moi, on va rester amis pour la vie. C'est peut-être parce qu'on s'est battus si fort, et qu'il m'a aidé à devenir brave. C'est aussi parce que Dany dit toujours la vérité. Il n'a pas de cachettes. C'est un survivant, m'a expliqué Laurence, un enfant blessé. Nous, on a un père qui nous aime de loin, lui, il n'a rien du tout. Il apprend tout, tout seul. Alors des fois, il apprend de travers. Je lui ai donné le gilet pare-balles trop grand pour moi. Je suis sûr que papa va aimer mon nouvel ami. Mais moins qu'il m'aime, moi.

Il y a des enfants à travers le monde qui vivent la guerre à tous les jours. Des bombes tombent sur leur maison, ils manquent de nourriture et d'eau, ils perdent leurs parents. Des guerriers dangereux violent les petites filles, séquestrent les garçons pour en faire des enfants soldats.

Ici, dans notre famille, nous n'avons vécu que des dommages collatéraux lointains, comme ils disent. J'ai perdu un père pendant sept mois, j'ai perdu une mère pour toujours. J'ai perdu ma naïveté. Curieusement, j'ai gagné une confiance inébranlable en moi. Je suis devenue une adulte trop vite et trop tôt. Ça me rend fière et triste à la fois.

Mais si tu n'étais pas parti, on aurait continué à vivre tous ensemble couci-couça, à s'appuyer sur toi, à ignorer qui nous sommes vraiment. Ta guerre a fait de moi une vraie grande sœur. Elle a fait de ton fils un petit garçon courageux.

C'est vrai qu'on aurait pu se détruire les uns les autres, écrasés sous nos bombes, le corps transpercé par nos balles qui sifflaient à travers l'appartement. On aurait pu, chacun d'entre nous, blesser Mathilde. On s'en est sortis. Je crois bien qu'on s'en souviendra longtemps, de notre camp de survie installé dans ma chambre.

Ils sont quelques soldats à marcher sur une longue plage face à la Méditerranée. Nathan est parmi eux. Ils sont arrivés l'avant-veille, ils ont dormi d'un sommeil lourd dans de vrais lits, mangé, dormi encore. Dans une semaine, ils rentreront chez eux. Leur mission est terminée.

Aujourd'hui, ils se parlent de là-bas. Ils ne disent pas grand-chose. Ils peinent à trouver les mots. Ils préfèrent les blagues, les taquineries, la nourriture succulente, l'alcool et les longues marches près de la mer, Nathan comme les autres. Mais il parle quand même. Il dit :

« Je suis retourné à la guerre parce que… C'est à cause de la mission en Bosnie, il y a longtemps. Une mission de maintien de la paix. On venait chaque jour dans un petit village manifester notre présence. Un matin, un petit garçon s'est approché de moi, je lui ai offert un morceau de chocolat. Il est revenu le lendemain. Et le surlendemain.

Quelques jours plus tard, en arrivant près du village, on a entendu des coups de feu. Nous avions l'ordre de ne pas intervenir. Nous sommes restés à distance. Le garçon est mort, ce jour-là. Jamais je ne me le suis pardonné. Mon devoir était de le protéger. »

Tu n'es plus en danger. C'est fini. Tu es en transition entre ici et là-bas. Tu m'as écrit de cet hôtel où tu te reposes, où vous essayez de redevenir des humains ordinaires, des papas, des amis, des compagnons. Vous essayez de retrouver un regard qui ne nous fera pas peur, à nous, vos enfants, une voix qui ne tremble ni ne crie. Tu fais ce qu'il faut pour traverser tes cauchemars. Je le sais. Tu me l'as écrit. Tu reviens dans trois jours. J'ai hâte et j'ai peur à la fois.

Ici, papa, tes enfants sont en sécurité dans le refuge que j'ai créé pour eux, pour Dany et pour moi. Je veille sur eux. Ce soir, pour les endormir, j'ai lu *Chien Bleu* pour la millième fois. Les deux garçons ne s'en lassent jamais.

Tu sais quoi? Je suis devenue une espèce de grand Chien Bleu. Je pourrais moi aussi lutter toute la nuit pour les sauver. Je ne flancherais pas. Je me battrais jusqu'à la mort. Je suis devenue forte, si forte qu'à l'avenir, aucun adulte ne pourra me donner d'ordres. Je leur fabrique un nid tous les soirs. Je calme leurs angoisses. Je suis le chef d'un clan tout déglingué. Est-ce que c'était pareil pour toi dans ton rôle de sergent?

Je ne sais pas où j'ai trouvé toute cette douceur en moi, Nathan. Je ne sais pas où j'ai trouvé tout ce courage, et la volonté de protéger les enfants. C'est si puissant, plus grand que moi, et ça me remplit d'un bonheur étrange. Peut-être que c'est cela que Karine a perdu quand elle a cessé de nous aimer : le désir de protéger ses petits.

Dany a grandi et forci depuis qu'il boxe des sacs de sable. C'est vrai qu'il a un an de plus que moi. Il m'a dit que plus tard, il veut devenir boxeur professionnel et gagner une ceinture d'or. Ou alors il sera policier, il attrapera les meurtriers, les violeurs et les revendeurs de drogue. En tout cas, il veut se battre tous les jours de sa vie.

Moi, je ne veux plus me battre comme avant. C'est fini pour moi les bagarres sur la colline. C'était juste pour sauver mon papa. Il m'a envoyé un courriel très spécial, juste pour moi, le dernier avant son retour. Il m'a écrit que je porte le nom d'un petit garçon qu'il a connu en Bosnie, il y a très longtemps, et que ce garçon est mort pendant la guerre. Il souhaite que je porte mon nom avec fierté.

Voilà. Tu arrives demain soir. Ici, Karine fait ses valises. Je l'entends qui bouge dans sa chambre. Elle n'emporte pas grand-chose, quelques vêtements, son ordinateur. Dès ce soir, elle va rester chez Valérie en attendant. En attendant quoi ? Je l'ignore. Elle ne reviendra jamais habiter dans notre appartement de la rue de la Tourelle.

Tantôt, elle est venue frapper à ma porte. Je ne voulais pas lui parler. Dès que Karine s'approche, j'ai envie de cracher et de mordre.

Elle a insisté, entrouvert la porte. Elle est restée debout sur le seuil, à m'expliquer deux ou trois choses que je sais déjà. Ne pas oublier le rappel de vaccin de Mathilde, le frigo est plein de nourriture que tu aimes, tu sembles aller mieux, vous vous êtes écrit beaucoup les dernières semaines, vous avez réglé certaines choses entre vous.

— Peut-être pourrais-tu demander à ton père qu'il engage une aide ménagère, qu'en penses-tu?

J'ai haussé les épaules. Me taire. Ne pas engager la conversation avec elle.

— Vous serez bien mieux sans moi, a-t-elle ajouté.

C'est la vérité, il n'y avait rien à répondre. Elle a avancé d'un pas. Je l'ai arrêtée d'un geste.

— Je veux juste ma vie, Laurence. Ma vie, et rien d'autre. L'armée a volé ma vie. J'ai fait des enfants parce que Nathan en voulait, il adore avoir des enfants. Et puis… il croyait que votre présence allait le guérir de ses vieux démons, le retenir ici. Ce n'était pas vrai.

Cette fois, j'ai éclaté:

— Laisse papa tranquille! Il a ses raisons qui ne regardent que lui!

– Je croyais sincèrement que j'allais aimer mes enfants. C'était vrai, d'ailleurs, je vous aimais. Et puis… Je ne sais pas ce qui m'est arrivé. Je ne voulais pas ça, tu comprends ?

– Va-t'en.

– Plus tard, quand je serai forte à nouveau, je m'occuperai de Mathilde, je la reprendrai en garde partagée, et Luka aussi s'il le veut. Toi, je sais que c'est impossible.

– Je ne te laisserai pas reprendre les petits. Tu sais pourquoi.

Sa voix n'était plus qu'un murmure quand elle a répondu :

– Ne sois pas si dure. J'ai perdu le contrôle une seule fois.

– Une fois de trop !

– Moi aussi, Laurence, je peux changer.

– Je ne te crois pas.

Elle a reculé. Elle était très pâle, squelettique. Laide.

– Une dernière chose, alors. Merci d'avoir pris soin des petits. Tu es une personne hors du commun, ma fille.

Elle a refermé la porte.

Après l'école, je suis allé courir avec Bestiau sur les Plaines, comme d'habitude. Nous avons couru jusqu'à perdre haleine, puis nous avons rebroussé chemin. Bestiau marchait calmement à mes côtés quand je l'ai vue. Elle venait en sens inverse, et soudain elle a figé. « Oh non ! La vieille sorcière ! »

Je suis resté calme. J'ai donné un petit coup sec sur la laisse. « Assis. Bon chien. »

— N'ayez pas peur, madame. Ne bougez pas.

J'ai raccourci la laisse de Bestiau au maximum et, très lentement, je l'ai mené jusqu'à elle.

— Laissez mon chien vous renifler. Ne bougez pas et ne le regardez pas. Il n'est pas dangereux, je vous le jure.

— Il n'a pas de muselière, a-t-elle murmuré, le regard affolé.

— Il n'en a plus besoin, le maître-chien me l'a dit.

Bestiau a senti longuement sa main. Il était détendu et soumis, je sais maintenant reconnaître les signes.

— C'est sa manière à lui de faire connaissance, j'ai expliqué à la vieille dame. Les chiens ont 220 millions de récepteurs olfactifs et nous, les humains, à peine cinq... Si vous n'avez plus peur, vous pouvez même le flatter maintenant.

Elle n'a pas voulu. Elle est partie de son côté. Tant pis pour elle. Bestiau est le meilleur des chiens.

Cette nuit, la dernière nuit avant ton retour, je suis retournée fouiller dans la grande armoire du salon. J'ai retrouvé l'enveloppe accordéon qui contient les photos et la lettre de Bosnie. J'ai pris la lettre pliée en quatre. Je l'ai lue d'un trait.

Karine, ma chérie, j'ai tellement hâte de revenir vers toi. Tu dois être si belle, enceinte. Tu m'as dit au téléphone que tu attends une petite fille, qu'elle a commencé à bouger dans ton ventre et que jamais tu n'aurais cru possible de ressentir autant d'amour pour cette enfant à naître. Tu veux l'appeler Laurence.

Je vous aime toutes les deux plus que tout. Et je serai de retour à temps pour la naissance de notre premier enfant. Tu seras une mère merveilleuse.

Je t'embrasse, toi et la petite Laurence bien au chaud dans son nid.

Nathan

À la fin, mes larmes tombaient sur les mots. Est-ce que c'est possible, ça ? J'ai déjà eu une mère qui m'aimait et je n'en garde aucun souvenir.

Nous revoici au point de départ, Nathan, dans la grande salle du bataillon, à attendre que l'avion te ramène. L'avion est en retard, évidemment. Pourquoi les avions des Forces armées sont-ils toujours en retard ? Les jeunes enfants se sont endormis sur les lits de camp, et les grands veillent, debout, depuis des heures.

Demain, j'irai rejoindre Jamie au café étudiant après l'école. Est-ce que je poserai ma tête sur son épaule pour m'y reposer ? Je ne sais pas. Pourtant, j'ai envie qu'il me prenne par la main et m'emmène loin d'ici. J'ai envie de ses baisers. Mais je ne veux pas faire l'amour avec lui. Pas tout de suite. J'espère que jamais il ne deviendra soldat. Il dit que non. Mais qui sait ce qui se passe vraiment dans la tête d'un gars de dix-sept ans ? Je ne veux pas d'un amoureux soldat. Je ne veux pas d'un père soldat pour mes enfants.

Une rumeur, au fond de la salle, près de la grande porte. Elle enfle et vient jusqu'à nous. Ils arrivent ! Ils arrivent ! La grande porte s'entrouvre. Un à un, vous franchissez cette porte, les soldats et les soldates. Une famille s'élance, une autre, des cris, des pleurs, des bousculades. Luka hurle :

– C'est lui ! C'est papa !

Nous courons, ton fils se jette dans tes bras et nous t'encerclons, nous ne sommes plus capables de nous séparer, nous sommes comme un grand corps, une bête bigarrée avec quatre têtes et seize pattes d'inégales longueurs. Mathilde se cache dans mon cou, tout intimidée. On pleure, on rit, une tempête d'émotions déferle sur nous.

C'est si bizarre. C'est trop fou. On dirait que le temps, ce temps si long, si creux, si vide, ce temps où je t'ai haï, aimé et haï encore, s'est effacé d'un coup. La mort recule. Et les cauchemars. Mon nœud se défait, le serpent se dissout, l'air entre à grandes goulées dans mes poumons.

Nathan, notre père, notre rocher, est revenu.

L'avenir

Un an a passé depuis ton retour. Ici et là, sur notre planète, des guerres s'achèvent. D'autres se préparent. D'autres perdurent depuis des décennies. Aujourd'hui même, là-bas, une jeune kamikaze a déclenché sa ceinture d'explosifs. La guerre reste une énigme.

Même si nous désirons la paix, il y aura toujours des sursauts de guerre. Nous sommes ainsi faits, nous, les humains, pleins de contradictions. Toi, Nathan, qui veux protéger les faibles, tu as tué d'autres hommes. Karine, qui déteste l'armée, cette machine à tuer, a mis en danger la vie de son propre bébé. Et moi, entre vous deux, comme vous deux.

Ton retour n'a pas été facile. Tous, nous avions des blessures à cicatriser. Tu as pris un long congé, tu es redevenu pas à pas le père et la mère de tes enfants. Tu es retourné enseigner. Tes élèves t'adorent. Parfois, pendant une seconde, tu as le regard d'une bête traquée. Tu n'en parles jamais, et j'ai fini par comprendre que tu nous protèges de ce que tu as vu, quelque chose d'effrayant, la mort en face, la mort dans les yeux d'un enfant, son cri ? Je ne sais pas. Tu es un homme meurtri.

Jonathan est parti la semaine dernière pour sa première mission et ses proches tremblent d'inquiétude. Tu lui as parlé longuement avant son départ. Tu t'es pris d'affection pour lui et pour Dany.

De mon côté, à force de travail, je suis redevenue première de classe. Le plus surprenant, c'est que j'ai arrêté de haïr Karine. Moi qui avais peur de lui ressembler, qui l'avais bannie de notre clan, j'en suis venue à penser que pendant ton absence, sans le savoir, nous ressentions une colère semblable. Cette vieille colère rentrée des femmes envers leur mari, leur père, leur frère, leur fils guerriers, qui les abandonnent pour se jeter dans l'aventure de la guerre.

J'aurais préféré une autre mère, c'est sûr. J'aurais aimé compter sur elle. Mais voilà... Elle souffre en silence. Elle espère très fort qu'elle pourra aimer à nouveau. Elle prend Mathilde avec elle une fin de semaine sur deux, et Luka l'intrépide, mon grand petit frère qui comprend tout, a décidé d'accompagner sa petite sœur, avec Bestiau. Ils ne la lâchent pas d'une semelle. Et Mathilde, notre trésor, notre préservée, entoure Karine de ses bras dodus et lui donne des baisers. Parfois, je crois que Mathilde est notre lumière et notre guérisseuse.

Tu sais ce qui a été le plus difficile pour moi la dernière année ? Laisser tes enfants vivre leur vie.

Dès ton retour, j'ai fermé le camp de survie. Je ne suis plus leur grand Chien Bleu. Je ne pourrai jamais les protéger de leur destin. J'ai les bras vides. Je vous aime tant, je peux si peu pour vous.

Et Jamie... Mon bel amoureux. Mon plus grand ami, celui qui est resté près de moi pendant les heures difficiles. Jamie. Je ne parviens pas à m'abandonner totalement dans ses bras, à rêver avec lui d'une vie ensemble. J'hésite. Je ne suis plus sûre que je veux faire un tas d'enfants. Quelque chose monte en moi. Ça m'entraîne ailleurs.

Tu as remarqué, papa? Je porte toujours le collier nomade. En ce moment, je le caresse du doigt. Il est chaud et sensuel dans mon cou. Je pense souvent à cette petite fille que tu as sauvée. J'espère de tout mon cœur qu'elle est vivante, qu'elle habite maintenant un village sécurisé où elle va à l'école et mange à sa faim. J'espère qu'elle n'aura jamais à cacher son visage, à se soumettre, à disparaître. Un jour, Nathan, je partirai à sa recherche. Peut-être que Jamie m'accompagnera, qui sait? J'irai là-bas lui rapporter son héritage. Pour l'instant, voilà la seule chose que j'imagine pour l'avenir. Redonner à cette petite fille le collier qui lui appartient.

Même si Dany est mon ami à la vie à la mort, même si Laurence est ma sœur d'armes et Mathilde la personne que j'aime le plus au monde avec papa, même si maman a retrouvé le chemin des gestes tendres, l'esprit guerrier habite toujours en moi comme un virus endormi. Quand il se réveille, je m'imagine courir, l'arme au poing, ma visière de protection rabattue, j'abats les ennemis, je suis plein d'énergie et de courage.

Mais il y a une chose que j'aime imaginer plus que tout. Je ne l'ai jamais raconté à personne, c'est mon secret. J'ai dix-huit ans et je forme équipe avec Bestiau. Nous allons ensemble dans un de ces pays où des engins explosifs improvisés et des mines anti-personnelles sont enfouis dans les terrains vagues et sur le bord des routes. Je marche derrière Bestiau, qui renifle le sol jusqu'à détecter une bombe artisanale. Lorsqu'il en trouve une, il s'assoit et m'attend. «Bon chien.» Mon travail à moi, c'est de la désamorcer.

Charlotte Gingras

Pour Charlotte Gingras, la question du regard est importante. Elle écrit, fait de la photographie et s'intéresse beaucoup aux arts visuels. Elle aime aussi les paysages, qu'elle admire lors de grandes promenades en forêt. Chaque année, elle rencontre des centaines de jeunes, dans les écoles et les bibliothèques, pour leur parler de ses livres. L'été, elle se retire dans sa petite île au milieu du fleuve pour écrire dans le calme et profiter de l'air marin.

Remerciements

Je remercie en tout premier lieu le Conseil des Arts et des Lettres du Québec pour son soutien financier sans lequel je n'aurais pu mener ce roman à terme.

Je remercie May Sanregrets pour avoir généreusement partagé son expérience de compagne de soldat ; Danielle Provost pour sa lecture attentive du manuscrit, et ce, du point de vue d'une mère de soldat ; Éric Célier ainsi que Marlène et Jean, pour avoir répondu à mes questions et vérifié certains faits concernant les Forces armées ; Hélène Lépine et Bianca Côté pour avoir lu et commenté le manuscrit à diverses étapes de l'écriture.

Enfin, merci à *Chien Bleu*. Cet album-phare et son héros du même nom, dont il est question à plusieurs reprises dans le roman, a été écrit et illustré par Nadja et publié à l'école des loisirs.

Les éditions de la courte échelle inc.
160, rue Saint-Viateur Est, bureau 404
Montréal (Québec) H2T 1A8
www.courteechelle.com

Révision :
Hélène Ricard

Dépôt légal, 2ᵉ trimestre 2011
Bibliothèque nationale du Québec

La courte échelle reconnaît l'aide financière du gouvernement du Canada par
l'entremise du Fonds du livre du Canada pour ses activités d'édition. La courte
échelle est aussi inscrite au programme de subvention globale du Conseil des Arts
du Canada et reçoit l'appui du gouvernement du Québec par l'intermédiaire
de la SODEC.

La courte échelle bénéficie également du Programme de crédit d'impôt pour l'édition
de livres – Gestion SODEC – du gouvernement du Québec.

L'auteure tient à remercier le Conseil des Arts et des Lettres du Québec pour son
soutien financier.

**Catalogage avant publication de Bibliothèque et Archives nationales du Québec
et Bibliothèque et Archives Canada**

Gingras, Charlotte
Guerres
Pour les jeunes de 13 ans et plus.
ISBN 978-2-89651-814-2

I. Titre.

PS8563.I598G83 2011   jC843'.54   C2011-940029-4
PS9563.I598G83 2011

Imprimé au Canada